不肖・宮嶋 死んでもカメラを離しません

宮嶋茂樹

祥伝社黄金文庫

（この作品『不肖・宮嶋　死んでもカメラを離しません』は、平成八年九月、クレスト社から『死んでもカメラを離しません』として四六版で刊行されたものを改題しました。登場人物の役職名、肩書き等は、当時のままとしました）

まえがき

乞食《こじき》とカメラマンは三日やったら辞められないと言われる。資格はいらない。試験もない。だが、三年続けるのは至難《しなん》の業《わざ》である。

特にフリーの報道カメラマンは続かない。根性なしは、世の中の汚《きたな》いものを見すぎてアウトローの世界に身を落としたり、足を洗って堅気《かたぎ》になる。エエ根性しとるヤツは、戦場に行って行方《ゆくえ》不明か蜂の巣になる。

かく言う私も、一度、堅気になりかけたことがあった。フライデーの専属カメラマンを辞めたときである。しばらくは貯金で食《く》っていたが、それも底をついた。女房は、まさか亭主が、突然、無収入になるとは考えもしなかったであろう。

結婚したとき、私は二四歳だったが、フライデーからの年収が七〇〇万近くあった。そのうえ、毎日毎晩、張込みで酒も飲めない、カネを使う暇もない。どんどん貯金が増えていく。女にとっては、まこと、理想的な暮らしであった。

それが無収入になり、貯《たくわ》えもなくなり、ついに女房に食わせてもらうという情けないことになった。

それでも「俺はカメラより重いものは持ったことがない！」と居直り、写真以外の仕事を拒否してブラブラしていた。女房は普通の仕事をしていたのでは私を食わせていけなくなり、厚化粧をして、夕方、家を出ていくようになった。

出がけに「土方でもしたら―」と言うので、シバキ倒してやったら、ある日、私が家に帰ると、だーれもいないのであった。なーんにもないのであった。家財もろとも、妻は逃げたのであった。

それでよいのである。

不肖《ふしょう》・宮嶋、今も貯金はない。借金はある。六畳一間の「つつみ荘」は、ゴミで埋《う》まっている。メシは作らない。食器はすべて紙である。ゴルフも、カラオケも、スキーも、テニスも、したことがない。ついでに泳げない。

しかし、宮嶋は幸福である。

どんなに道が渋滞《じゅうたい》していても、私は愛車のベンツで出動（出勤ではない）するのである。仕事のたびに、喉《のど》から心臓が飛び出そうな緊張感の中、難局打開策を瞬時に決行するのである。硝煙《しょうえん》を求めて世界を飛び回り、ついでにとびきりの美人を口説《くど》き落とすのである。誰にも撮れない写真を、知恵と度胸と根性で撮ってみせるのである。

かくして不肖・宮嶋、任務を了《お》えた深夜、新宿副都心の高層ビルを眺《なが》めながら、ベンツで首都高を駆《か》けつつ無上の悦《よろこ》びを感じるのである。

宮嶋は、生涯、報道カメラマンでありたい。身体が動くかぎり、這《は》ってでも現場に行きたい。死んでもカメラを離さない覚悟だが、死んだら写真が撮れないから、生きていたい。

ここに恥多き出来事の数々を記《しる》す。おおいに笑っていただきたい。

本書の企画、構成は、勝谷誠彦《かつやまさひこ》氏に負うところが大きい。深く感謝の意を表する。

宮嶋茂樹《みやじましげき》

目次

4 ここは地獄の三里塚《さんりづか》

――成田闘争の取材で初体験した市街戦の恐怖

7 バカは埋《う》めなきゃわからない――先生がワルガキを埋めた、宮嶋も埋めた

構成　勝谷誠彦

1

東京拘置所のエレファント・マン

――桜散る小菅《こすげ》に麻原《あさはら》彰晃《しょうこう》の姿をスクープした

東京武装カメラマン集団

不肖《ふしょう》・宮嶋、この命を的《まと》にあまたのスクープをモノにしてきた。だが、胸を張って世界に誇《ほこ》るべきスクープとは……、そう、あの麻原彰晃《あさはらしょうこう》を撮った写真である。そして、その裏には恐るべきドラマがあったのである。これは、伝説が作られる物語である。

春も盛《さか》りの平成八年三月二十六日、帝都・東京にはただならぬ気配が漂《ただよ》っていた。翌日に迫《せま》った大取材合戦のため、マスコミ各社が目を血走らせて作戦計画を練り、その下準備に走り回っていたのである。

守るは桜田門《さくらだもん》・警視庁。攻めるはジャーナリズムを名乗る、およそすべてのマスコミである。明《あくる》二十七日、警視庁から小菅《こすげ》のトウコウ（東京拘置所）へ麻原彰晃が移送される。警視庁が税金を使って麻原を守るとはバカな話だが、正確には、守るのは「麻原の人権」とやららしい。本来、あれだけの大事件、大殺人をしたのだから、写真などいくら撮ってもかまわんのである。カメラが発明されておよそ一六〇年、まだ撮られて死んだヤツはいない。ストロボの光に当たって死んだヤツもいないのである。

警視庁の頭を疑うのだが、この際、それは特に赦《ゆる》す。騒動と花火と、ついでに西瓜《すいか》は大きいほうがよいのである。連中が「絶対に撮らせせん」と言わなければ、このような騒ぎにはならない。桜田門前に麻原を引き出して、好きなだけ撮らせたら、それで終わってしまうのである。

だが、そうなってはちっとも面白くない。出版界のゴルゴ13と言われる不肖・宮嶋の腕は、困難であればこそ発揮されるのである。

二十六日夕刻、われわれはまず警視庁へと向かった。撮影用の脚立《きゃたつ》を立て、場所取りをするためである。われわれとは、私と大倉乾吾《おおくらけんご》カメラマンで、両名とも週刊文春に陣を借りるフリー・カメラマンである。明日の撮影隊は三名で、もう一人、新玉元司《しんぎょくげんじ》カメラマンが加わるのだが、このとき彼は寿司屋でヘベレケになっていた。

警視庁前は、すでに脚立が林立し、何人もの記者やカメラマンがうろついていた。その中に見慣れた顔があるではないか。大朝日新聞の名カメラマン鎌田正平《かまたしょうへい》であった。

「おーい、鎌田やないけェ!」

「おお! お二人さん、仲よく揃《そろ》おて……。ちょっと遅いんちゃうか?」

「なんや? おまえら何時から来とんのや?」

「昼過ぎにはもう脚立並べとったど! 見てみィ!」

と鎌田は、麻原を乗せたベンツのワゴンが進行するであろうホット・ポイントに立ち並ぶ各マスコミの脚立を指差すのであった。ほう、名カメラマンがここにお出ましか。とすると、ここが大朝日の主戦場なんやろう。金魚のフンみたいにみんなで屯《たむろ》して、どこがオモロイねん。見てみるとTBSやFLASH《フラッシュ》までおる。おそらく、われわれが最後なのだろう。そのときである。

「そや、ええこと教えたろ!」

鎌田は近寄ると耳打ちをしてきた。その情報自体は後述するようにロクでもないことだったが、ここで読者は、この鎌田という男を記憶せねばならない。

こののち、いかに彼が重要人物となるかは、エホバでもアッラーでも、はたまたシバ神でもわからなかったであろう。

鎌田は私と同じ昭和三十六年生まれである。東京出身のくせに都落ちして大阪芸大写真学科に進んだのだから、あまり頭の出来はよくない。兵庫県明石《あかし》市出身の私が東京の日芸(日大芸術学部)に進んだのとは、まったく逆である。私の相棒の大倉カメラマンも大阪芸大で、鎌田と同級である。この二人にK(こいつも朝日新聞東京本社カメラマン)が加わって、大阪で暴れ回っていた。三人とも「忍者クラブ」というわけのわからんサークルに所属し、大学の塀《へい》の上を走ったり、手裏剣《しゅりけん》を投げたりしていたアホである。

そのうち報道写真に目覚めた三人は、本領を発揮しはじめる。共通するのは車、バイク、無線である。連中は、夏の甲子園に行って朝日の小旗をパクってきて、それを自分のバイクに付け、報道バイクを装《よそお》っていた。トンデモない話である。警察や消防の無線を聴いては、朝日のバイクを駆《か》って、逸早く現場に駆け付けていたのである。もちろん腕章も〝似たもの〟を作っていた。まったく同じものだと犯罪になるかもしれん、というのをちゃんと知っているあたりが悪質であった。

Kにいたっては、大阪で頻発した放火現場にことごとく一番乗りして写真を撮っていた。ために、警察と消防の現場ビデオにたえず映ってしまい、完全に怪《あや》しまれ、バイクのナンバーから足がつき、ある朝、家宅捜索《ガサ》をかけられた。当たり前である。まあ念願叶《かな》って朝日のカメラマンになれて本望であろう。

ついでに書いておくと、連中の一派には、車を覆面パトカーに改造し、大阪中、サイレンを鳴らして走り回っていたのや、白バイを作って、白バイ警官の制服もどこからか手に入れてきて着用していたのもいた。ここまでくると犯罪である。

まったく同じ時期、東京の日芸で報道カメラマンを目差し苦学していた私とは、ドえらい違いであった。当時、ローマ法王ヨハネ・パウロ二世が来日した。私は法王が上智大学にちょっと寄るという情報を聞きつけると、知合いの上智の学生から学生証をパクり、それを偽造して学内に潜入、撮影に成功したのだった。見よ、同じ偽造でも、この志《こころざし》の高さの違いを。

さて鎌田は、そのような無茶な取材が評判を呼び、在学中にフォーカスの大阪カメラマンとなり、卒業後、東京のフォーカスのカメラマンとなった。乱暴にまかせて数々のスクープをモノにしたが、バブルに乗じて朝日の途中入社試験を受け、合格したのであった。

しかし、それが不幸の始まりであった。元来が女好きの鎌田である。この仕事のストレスが溜まり、次々と女をダマくらかして二進《にっち》も三進《さっち》も行かなくなった。

なぜ私がこんなに詳しいかと言うと、それにはちゃんと訳がある。思い余った鎌田が私に「あの女を殺して、埋《う》めるのを手伝ってくれ！」と持ちかけてきたからである。冗談に聞こえないところが彼の人徳であった。

ちなみに、鎌田と私は東京武装カメラマン集団のメンバー……というより、たった二人の構成員なのである（メンバーにはもう一人、朝日の菊池カメラマンがいたが、大阪に転勤になってしまった）。われわれは、ステイヤー、ベネリー、ベレッタという、もはや人殺しの道具でしかない、高性能軍用スナイパー・ライフルや、オートマチック散弾銃で武装している。もちろん不法所持ではない。都の公安委員会に登録済みのものであることをお断わりしておくが、その火力は機動隊一個中隊は相手にできるであろう。

一朝事《いっちょうこと》あらばカメラを銃に持ち替えて立ち上がるべく、われわれ二人は山梨あたりで射撃訓練に励んでいた。鎌田の女の一人くらい、技術的には何でもないのである。少々長くなったが、鎌田がいかなる男か、わかっていただけただろう（朝日の皆さん、よく読んでね）。

ア号作戦1

さて、鎌田が顔を寄せて教えてくれた「ええこと」とは「これまでの拘置尋問のときとルートが違うらしい」というアホでもわかることだった。これまでの拘置尋問は警視庁の目の前の東京地裁で行なわれた。今回の移送は小菅へ向かうのである。行き先が違うのだから、ルートが違って当然なのである。

桜田門から小菅へは、霞ヶ関から首都高に入り、箱崎を経て6号向島線《むこうじま》を使う。箱崎までは環状線内回り、外回り、どちらでも可能である。大倉は走行距離から、外回りだと確信していた（事実そうであった）が、万が一ということもある。誇り高きフリーのカメラマンとしては「待っていたけど、来ませんでした」などと、サラリーマンのような言い訳は口が腐っても言えないのである。われわれは間違いなく通過する箱崎インターから先で狙撃ポイント……もとい、撮影ポイントを探した。

不肖・宮嶋、五尺八寸の体に数多くの才能を眠らせている。が、中でも撮影ポイント探しは得意中の得意技。ほとんど天才の域に達しているのである。盧泰愚《ノテウ》韓国大統領（当時）来日の折には、誰にも気づかれず一行の車列を正面から捉《とら》えた。これが宮嶋でなく、北朝鮮に雇われたゴルゴ13であれば、盧泰愚の眉間は完璧に撃ち抜かれていたであろう。従軍慰安婦、もとい戦場売春婦のことで村山富市《とみいち》も橋龍《はしりゆう》も「ゴメン」と言っておるが、来日中の韓国大統領が狙撃されたら「ゴメン」では済まんぞ。週刊文春が発売されると、警視庁は先導の白バイ隊員を私に接近させ、撮影ポイントを知りたがったものである。

首都高を走るベンツ500SE（麻原のではない。私の愛車である）が夕日に輝くころ、宮嶋の頭脳にはスルドイ作戦が練り上がっていた。身銭を切って本書を買ってくれた読者のために、天才の思考過程を少しばかりご披露《ひろう》しておこう。

皇族や盧泰愚のときは、高速道路を上り・下り両方とも通行止めにしたが、明日はどうだろうか？　麻原一行《いっこう》の首都高通過予想時刻は、おおむね午前七時半から八時である。この時間、大渋滞の首都高6号線を全面通行止めにすることは不可能であろう。ならば反対車線から撮れるのではないか。麻原が通る下り車線に隠れていたところで、事前に来るパトカーに排除されてしまうであろう。しかし、上り車線にならば隠れることは可能だ。

かくして私は見つけた。駒形《こまがた》の料金所である。都合よく、休憩所まである。麻原が来るまで料金所の休憩所におり、通る直前、料金所のハシゴを上り、屋上から撮るのである。なぜ、それが可能かといえば、明日はワイドショーがヘリまで動員して生中継するからである。車の中でテレビを見ていて、接近した瞬間に出動すればよい。

当然、料金所が閉鎖でもされていない限り、料金所のオッサンに見つかってしまう。だが私の恐るべき頭脳は、天才的作戦を案出した。ちょうど料金所の屋上にエアコンが見える。エアコンの修理に来たと言えばよいのである。カメラマンは撮るためなら、堂々とウソをつくのである。あるいは大型トラックが料金を払うスキに、その陰からハシゴを上ってしまえば、オッサンに見つかることもない。私は撮影ポイントを駒形料金所屋上と決め、作戦名を「ア号作戦1」としたのであった。ア号とは麻原のアである。1としたのは2以下があるからだが、それは先を読めばわかる。

一方、大倉は京葉《けいよう》道路と6号線の分岐点に狙《ねら》いを定めた。すぐそばの公団住宅の非常階段である。さすが公団だけに非常階段にカギはかかっていなかった。問題は、車列通過まで管理人や住人に見つからないことだが、それも問題ないであろう。各テレビ局の生中継があるから、この場合も近くに来るまで隠れていればよい。

三月二十七日「ア号作戦1」発動の朝である。撮影隊三名は別々に各自の持場へ向かう。新玉は警視庁前、大倉は6号線分岐点脇の公団住宅、そして私は駒形料金所である。作業ジャンパーにニッカボッカ、足元は地下足袋《じかたび》という完全武装に身を固め、カメラと超望遠レンズはナップザックに収めた。なぜ、こういう装備を私が持っているか、ヒトは深く考えてはならない。あまり追求するヤカラは、まもなく東京湾の底で見つかることであろう。

愛車のベンツ500SEで出動できないのは残念だが、代わりのマツダ・カペラには無線機と携帯小型テレビを積み込んだ。

七時に駒形料金所に到着、予定どおり休憩所に車を停《と》め、携帯テレビのスイッチを入れた。すでに生中継は始まっており、緊張する警視庁前が映し出された。あとは待つだけである。私は煙草《たばこ》に火を点《つ》け、もう一度「ア号作戦1」を頭に描いた。

……麻原を乗せた車が警視庁を出る。霞ヶ関から首都高に入った車をテレビ局のヘリが上空から追う。おそらく外回りを使って箱崎に到る。万が一、テレビの中継が行なわれなくとも、新玉、大倉両名からの無線で状況は把握できる。麻原の車が駒形料金所に近づいてきたら、私はゆっくりとした足取りで料金所屋上への階段へ近づく。料金所のオッサンが声をかけてくる。「エアコンの修理でーす」。料金所屋上に上がったら、ナップザックからカメラと望遠レンズを出して構える。車が見えてくる。充分に引きつけてシャッターを押す……。

完璧である。すべては自然に流れ、フロントガラス越しに後部座席の麻原の汚《きたな》い顔がフィルムに焼き付く。それは、今日出動しているいかなるカメラマンの写真よりも迫力に満ち、鮮明でなければならない。それが宮嶋の腕というものである。そもそも、この撮影のために、ニッカボッカに地下足袋まで履《は》き、変装しているカメラマンはほかにいないであろう。気合が違うのである。この勝負、すでに勝ったも同然であった。

煙草を消して、私は何の気なしに車外へ出た。そのときであった。私は自分の目を疑った。生まれて初めて見る奇妙な光景であった。高速道路の入口を自転車が上がってくるのである。しかも、白い自転車に紺の制服ではないか。

「ウソやろ?」

私は目を点にしてつぶやき、しばし固まった。オマワリさんは自転車のまま休憩所を走り回り、停まっている車に片っ端から職質《シヨクシツ》をかけだした。それは異様な光景であった。渋滞中の首都高速を自転車が走っているのである。このままこの辺に居座《いすわ》るのは間違いない。いかに天才といえど、オマワリさんの目の前で料金所の上に超望遠を持ち込むなんぞ不可能であろう。料金所のオッサンは騙《だま》せても、オマワリさんは無理である。

このままだと私の正体がバレるのも時間の問題である。私はそそくさと、この現場を放棄した。

ニッカボッカと地下足袋《じかたび》が裏目に

「それくらいのことでー」などと言ってはいけない。状況が悪化してからでは遅いのである。だが、この宮嶋に「油断」の二文字はない。こんなこともあろうかと当然、第二オプションがあるのであった。「ア号作戦2」である。首都高6号線が一直線に見えて、高い建物、それは浜町スタジオの屋上であった。テレビ局がドラマやバラエティー番組などを収録するスタジオがいっぱい入ったビルである。大倉が無線で怒鳴《どな》っている。

「急げ! まもなく(アサハラが)出るぞ!」

「そっちの車内から地図を見て、オレを浜町スタジオまで誘導してくれ！」

「わかった！　高速を箱崎で下りて、そのまま直進や！」

大倉の誘導で浜町スタジオに着いた。まだ早朝だが、こういうビルは仕事が仕事だけに、たいがい開いているものである。

しかし、計算違いがあった。私は早朝の仕事だから、着替えを持っていなかったのである。管理の行き届いたスタジオ・ビルで管理人室を通らずに屋上に出ることはむずかしい。管理人は、いくら私が名刺や身分証明書を出して「文春のカメラマンだ」と言っても信用しないのであった。

当たり前である。どこの世界にニッカボッカと地下足袋を履いたカメラマンがおろうか。うんにゃ、おるんじゃ、といくら私が食《く》い下がっても管理人は私を中に入れてくれないのであった。あまりの作戦の周到さが、みずからの首を絞《し》める。旧軍の名将にもありがちな失敗であった。

しょうがない。時間もない。私は隣のビルに目をつけた。アパレル・メーカーの自社ビルである。朝も早いというのに、管理人がビルの玄関前を掃《は》いている。「ア号作戦3」を決行しなければならぬ。

「ビルの屋上に上げてください！」

「どうぞ！」

あんまりすんなりいったのでおかしいとは、この際、思わないのであった。エレベーターを待つ間も大倉からは「急げ！　もう出たぞ！」と無線が入ってくる。エレベーターから屋上の階段へと駆《か》け上がり、慌《あわ》てて超望遠をセットした。

落ち着いて、周りを見渡すと人の気配がする。エアコンの陰になんとテレビカメラが三脚にセットしてあった。カメラには「テレビ朝日」と書かれている。スタッフも五、六人はいるようであった。生中継なのか、パラボラ・アンテナまで立っていた。なんのことはない。管理人は私をテレビ朝日のスタッフと勘違いしていたのであった。

私のカッコウを見て、テレ朝のスタッフは怪訝《けげん》そうな顔をする。まあ、当たり前か。すると今度はどこに隠れていたのか大量のオマワリさんが現われた。私服警官もいる。周りのビルを見ても屋上じゅう、オマワリさんだらけである。大倉の公団の屋上にもいた。

「現着した。そっちの屋上にPM（警察官）がいるが接触あったか？」と無線で聞くと「いいや、まったく！」ということであった。大倉は非常階段に隠れていたのだ。

私はというと、寄ってきたオマワリさんの職質に四苦八苦していた。なんとかこのビルから引きずり下ろそうとする。そりゃあ、そうである。いくら名刺や身分証明書を持っていようと、ニッカボッカに地下足袋を履いたカメラマンは明らかに不審人物である。必死の思いで怪《あや》しい者ではないと説得しても、いっこうに効果はない。ついに私は、最後の勝負に出た。

「何度も申しあげるとおり、私は、文春のカメラマン・宮嶋茂樹であります。職務にご熱心な貴官の態度には、感銘を受けました。後学のために、ぜひ貴官のお名前を伺いたい。何署のどなたでありますか！」

役人というものは個人名を出すことを極力避《さ》けたがる。オマワリさんも役人であることには変わりない。これには、さしもの彼も苦笑し、ようやく物陰に戻ってくれた。眼下の高速道路では非常停止帯に停まっている車を次々と白バイやパトカーが排除している。間違いなくマスコミの車である。

やがて下り車線はまったく車が通らなくなった。道路封鎖が完了したのであろう。しかし、上り車線は相変わらずの大渋滞であった。やがて白バイが先導したベンツとその車列が現われ、6号線を下っていった。しばらくして、交通は元に戻った。

じつに呆気《あっけ》なかった。

私はもちろんシャッターを何枚も切っていた。

しかし、当初の予想と大きく違い、天才・宮嶋が撮るまでもない平凡で期待ハズレの写真となってしまった。

一〇年前のスクープ写真

戦い済んでも、日は暮れていない。まだ朝である。

週刊文春編集部に戻った私は、大倉とともにテレビの前に座《すわ》り込んだ。これで終わったわけではない。麻原が死刑になるまで、われわれは狙《ねら》いつづけるのである。各テレビ局は、今朝の録画を繰り返し流していた。私はヘリからの映像を求めて、慌《あわ》ただしくチャンネルを切り換えた。そして昼前のニュースであった。画面に東拘《トウコウ》に入った車が映し出されたのである。このときであった。八百万《やおろず》の神々は、われわれの至誠に天佑神助《てんゆうしんじょ》をもって報《むく》いたもうたのであった。

「おい、大倉！　これ見てみィ！」

「なんや！」

「ここや！　ここ見てみィ！」

「できる! こりゃあ、ホンマに撮れるかもしれん……」

ブラウン管に映っているのは、一台の車が拘置所内の通路をノロノロ走っているだけの映像であった。事情を知らないほかのセクションのネェチャンたちは「また、関西のアホ二人組がアホなこと企《たくら》んでいる」と、小バカにしたような視線を飛ばしていた。育ちのよさだけが自慢の女性編集者に、人生の深奥《しんおう》がわかってたまるものかと思ったが、もっとも、この映像の意味がわかったのは、日本中でわれわれ二人だけだったから、それも仕方がない。

今を遡《さかのぼ》ること一〇年前、東拘の被告がカメラに捉《とら》えられたことがあった。週刊文春が火を点《つ》けたロス疑惑の三浦和義《みうらかずよし》である。「東京拘置所の三浦」というタイトルの写真がフォーカスに載《の》った。五、六人の未決囚が数珠繋《じゅずつな》ぎになって、ぞろぞろ歩いている。そのうちのどれが三浦なのかわからない。記事で指摘されても「ウーン、これが三浦かァ?」と首を傾《かし》げたくなるような写真であった。案の定、東拘やその当時三浦の妻であった良枝《よしえ》は、この写真は三浦ではないと発表。フォーカスの写真は、それっきり話題にも上ぼらなかった。

その写真を撮ったのは、日芸で私の三年先輩である小平尚典《こひらなおのり》カメラマンであった。

ここで「なんや、あんな顔もわからんようなショウモナイ写真」と言うようなカメラマンは死んだほうがよい。顔がわからなくとも何でも、撮ったヤツはエライ。撮れなかったヤツはボケである。日本中の報道カメラマンは、全員、小平さんに抜かれたのである。負けたのである。

宮嶋、このとき、駆出《かけだ》しではあったが、すでに、フライデーのカメラマンであった。こういうとき、どうするか。撮影場所、方法を特定するのである。どこで、どうやって撮ったのかを自分で調べ上げるのである。業界内の噂では、小平グループ（一人ではできない仕事である）は首都高に大型トラックを入れ、運転席上の風防《ふうぼう》に潜《もぐ》り込んで撮ったと言われていた。

小菅の東京拘置所は、三方を高速道路に囲まれている。私は、早速、当時の愛車ニッサン・ヴァイオレットを駆って高速を何度もグルグル走り回ったのであった。そして、妙なことに気づいた。車窓から東拘が見えそうになると、急に高速の塀《へい》が高くなるのである。小平さんがなぜ大型トラックを使ったかが、これでわかった。

当時、私と同じくフライデーにいた大倉は、写真を見ただけで撮影場所を特定した。カメラで食《く》えない時代に佐川急便で大型トラックをコロがしていたから、東拘を囲む高速道路のことをよく知っていたのだった。人間、何が役立つかわからんのである。もし、今テレビで流れた映像を、われわれが見誤っていないとすれば、撮れるのである。小平先輩の手法を使って、三浦ではなく、麻原を撮ることが可能である。ただし、撮影ポイントは吟味《ぎんみ》せねばならぬ。小平さんと同じ高速道路上では、長期の張込みが困難だ。しかも発見されやすい。こちらから見えるということは、向こうからも見えるのである。

翌三月二十八日、私と大倉は小菅へと出向いた。テレビの映像を自分の目で確かめるためである。われわれは選定した撮影ポイント（残念ながら明かすことができない。墓場まで持っていくと大倉と約束した）で双眼鏡を覗《のぞ》いた。足元が悪いのと強風のため、すぐに双眼鏡がフレーム・アウトしてしまう。視野の広い双眼鏡ですら、である。こんなところでいったいどうやって超望遠レンズを固定し、さらにアングルを固定しようか。ずっと手持ちというわけにはいかない。カメラとレンズで優に一〇キロを超える。だが、そうした悩みも、今、発見した、ある事実の前では些細《ささい》なことにすぎない。拘置所内を確認したわれわれは、車に戻ると思わず顔を見合わせた。

「なかったな！」

「ああ、やっぱりなかった！」

なかったというのは、未決囚の留置棟と面会棟の間の道路の垣根のことである。じつは、この数ヵ月前、警視庁前の現場で麻原の拘置尋問を待っていたとき、偶然、われわれ二人の隣で、フォーカスのイソ隊長こと磯俊一《いそとしかず》カメラマン（この仕事の直後、お亡《な》くなりになった）、朝日の鎌田が揃《そろ》って脚立《きやたつ》に乗ってムダ話をしていた。

「ああ……、アサハラも早く東拘《トウコウ》に行ってくれないかなあ」

「そうだなあ……、いつまでもこんな撮影ばかり続けるのもなあ……」

「そうだよ。小菅だと、なんとか撮れるチャンスもあるのになあ」

ここで、私と大倉を含めた四人は思わず緊張した。もちろんそれがどこで、どうやればいいかは四人とも知っていた。だが、次にイソ隊長が口を開いた。

「でも、あそこには一〇年前、ウチが三浦をやって以来、塀か垣根ができちゃったもんなあ」

鎌田が後を続けた。

「そうだなあ、そう言えば、目隠し代わりにそんなもん作りよったなあ……」

この東拘の渡り廊下の垣根、コレが重要なのであった。このとき四人とも、いつ誰が確認したのかもわからない目隠しの存在を「ある」と信じていたのである。

ところが、ニュースで見たヘリからの映像には、垣根がなかったのだ。その渡り廊下をちょうど車が通れる道が横切っている。雨除《あまよ》けの屋根はついているが、道の分だけ垣根はない。そこに垣根があれば、車は通れないハズであった。ところが、その道を車が通っていたのである。

目隠しはない。初めからそんなものなどなく、あの噂がウソだったのか、それとも一度は垣根を作ったものの、やっぱり邪魔だったから取り外してしまったのか、それはわからない。しかし、垣根はない。しかも三月二十八日、つまり麻原を東拘に移送した後も垣根はないのである。われわれ二人は、そのことを自分の目で確認し、麻原撮影の可能性を発見したのであった。

この時点で、それに気づきうる者は、この世で三つのグループ、もしくは個人がいたことになる。一つはもちろんわれわれである。もう一つは一〇年前に三浦を撮ったフォーカスの一統。撮影者の小平さんは足を洗ってアメリカに渡ってしまったが、田島編集長は当時、担当デスクであった。またその一統には、この業界ではちょっとはうるさいイソ隊長もいた。だが、いくら凄腕《すごうで》が揃っているとはいえ、フォーカスはわが文春と締切りが同じ週刊誌である。

そして、もう一人が、鎌田正平であった。鎌田もまたわれわれ同様、小平さんの撮影場所を特定していたことは、前記の会話からも明らかだ。結局、怖いのは鎌田一人である。こいつを何としてでも沈黙させなければ、今度の仕事は成功しない。鎌田は朝日に移ってからは、その性格からたくさんの手下を作り、今や、デスクの次のキャップという地位にまで昇っていた。

もし、われわれのオペレーションが成功したとしても、撮影から発売までの間に、こいつに撮られたら元も子もなくなる。何と言っても相手は締切りが一日に二回もある大朝日新聞である。しかし、救いは、イソ隊長も鎌田も目隠しがあると信じていることであった。

編集部に戻ったわれわれは、早速、航空地図を出して作戦を練り、麻原撮影プランを羽《は》田《た》デスクに示した。

「それでけっこうです。その方法でやってください。ただし、あなた方の作戦だと人間が四人要《い》るとのことですね」

「そうです。少なくとも三人は必要です」

「悪いけど、今ちょうど異動で、一人も記者は割《さ》けません。悪いけど……」

まあ、こんな返事は予想していたことであった。これまでも張込みというと皆、おじけづいたものである。しかし、今回の作戦だけは別であるはずだ。どうしても最低でももう一人、人手が要る。しかも海千山千のプロが必要である。気心の知れた田中裕士《ひろし》さん（週刊文春オウム担当記者）ならベストだが、彼はスケジュールがいっぱいだった。

「大倉、心当たりあるか？」

「う～ん、アイツしかおらん。Hや！」

元フライデーの記者で、われわれとともに数々の修羅場《しゅらば》を踏んできた。童顔だが、口は固い。数年前にフライデーを辞め、コンピュータ雑誌などの仕事を細々とやっている。

予想どおり、Hは麻原撮影プランに興味を持った。

「よっしゃあ、一緒に伝説を作ろう！」

翌日夕方、文藝春秋社前の紀尾井茶房《きおいさぼう》で私、大倉、H、羽田氏の鳩首《きゅうしゅ》会談が持たれた。

「撮れるといいねェ～、ホントにいいねェ～」

いつもながら頼りなげな羽田氏の言葉だが、今回は妙に力が入っている。ひしひしと期待を感じつつ「よっしゃ、勝負したろっかい」と、われわれは深く誓《ちか》ったのであった。

だが、張り込んでスクープをモノにしようというカメラマンも記者も、このごろはめっきり減った。張込みよりスタジオでネェチャンを撮っているほうが楽しいとはいえ、どうして「私も張込みをやって、世間をアッと言わせるような写真を撮ってみたい」という人間がいないのであろうか。私や大倉やHのような人間は朱鷺《トキ》のように滅《ほろ》びるのであろうか。さみしい限りであった。

エイプリル・フールの出来事

作戦開始日は四月一日であった。エイプリル・フールである。しかし、これから書く話は本当（これまでの話も）のことである。

予定どおり新宿のニッポン・レンタカーで二トン車を借りた私は、正午ちょうどに文春の正門に到着した。渋滞する文春通りを右折して文春の駐車場に入らんとしていた。まさにその瞬間であった。

「ドッカーン！」という、すさまじい音が私の頭上でした。「うわーっ！　どないしたんや？」と、わけがわからなかった。次の瞬間、携帯電話が鳴った。

「なんや？」

「あっ、ミヤジマか？　あのなあ、その車、アルミボディの高さが三メートルあるから、文春の正面から入るなよ！　頭がゲートにぶつかってしまうからな！」

「へ？　頭がゲートにぶつかるぅ？」

私の明晰な頭脳はそう答えた瞬間、すべてを理解したのであった。窓を開けて恐る恐る頭上を見ると、トラックのアルミボディがコの字型のゲート中央を直撃していた。ゲートはひん曲がって、溜まっていた水が滴《したた》り落ちている。

私は大倉に「手遅れやった！　オモテに出てこい！」と言って電話を切った。トラックの周りは、昼メシで外に出てくる文藝春秋社員で大騒ぎであった。運転席にいる私は、いい晒《さら》し者である。秘書課の小川嬢が熱帯魚みたいなカッコして怖そうにこっちを見ていた。

私は速《すみ》やかに事後処理を行なうべく、麹町《こうじまち》の交番に事故報告届けを出し、ニッポン・レンタカーにも連絡した。ニッポン・レンタカーはすぐに契約する保険会社に連絡、数分後には保険会社とニッポン・レンタカーから文藝春秋に謝罪と事後処理と弁償と示談の電話がいった。あとは担当編集者の羽田デスクに報告すれば、なんとか無事カタがつくであろう。ぶっ壊れた門はみっともないが、やってしまったものはしょうがない。

それより、これからの大作戦のほうが一〇〇倍も重要である。

羽田デスクはやっぱりまだ出社してなかったので、われわれは大倉の運転で現場に出発した。トラックはさほど損傷を受けておらず、運転にはまったく差支えなかった。念のためニッポン・レンタカーに電話をすると、対物保険は二〇〇〇万円までかかっているということで、これまた安心。だが、よもや恐るべき運命が待っているとは、神ならぬ、この宮嶋、知る由《よし》もなかった。

フライデー・シンドローム

本格的な張込みは四月二日から始まった。

集合は、新宿のニッポン・レンタカーに朝七時。ということは前の晩は酒が飲めない。小菅に着くとまず駅前の弁当屋で、ノリシャケ弁当を三つ買う。それを張込み場所まで持っていき、急いで食《く》う。そして三〇分交代で大倉と私が超望遠レンズを覗《のぞ》き、Hは別の場所から刑務官の様子を無線で知らせる。

ファインダーに映るのは、ほんの三メートルの渡り廊下と、そのすぐそばの大きな桜の木である。張込みを開始した四月一日はまだその桜は蕾《つぼみ》だった。十日ごろ満開になり、撮影が終了した四月十二日には、桜の花が散りはじめていた。

「ああァ……、まさか今年の花見を小菅でやるハメになるとはのォ……」

「そやけど、今年の花見は生涯で忘れられんもんになるのォ……」

私と大倉は話し合っていた。しかし、その桜がほころんでいくにつれ、ただでさえ狭いアングルがさらに狭くなっていくのであった。

その渡り廊下では九時から人通りが始まる。わずか三メートルである。一瞬でも人影が見えた瞬間からシャッターを闇雲《やみくも》に押しつづけないと間に合わない。それでも目が疲れたり、フィルムを交換している間は撮り逃《のが》す。やはり三〇分が限度である。Hとは無線で連絡を取り合った。東拘内の動きはほとんどなかったが、日によっては一日一回「刑務官が無線を使ってるぞ」という連絡がHから入るだけであった。

十一時半から午後十二時半まではまったく動きがなかった。やはり拘置所といえども日本の役所である。どうやら昼休みのようであった。それがわかると、われわれは近所の食堂に行き、カレーライスかヤキソバを食べた。そしてまた午後は一時過ぎから張込みに入り、夕方五時に終わる。われわれはそれから編集部に戻り、その日撮ったフィルムを現像する。

「張込みは青春の浪費だ……」と名セリフを残し、写真誌を去っていった記者、カメラマンはゴマンといる。たしかにそうである。私が仕事を始めたフライデーは爆発的に売上げを伸ばしながら、連日連夜、日本全国どこかで張込みを行なっていた。昨日大学を出たような二二歳の人間が、マンションに出入りする高級車を、悪臭が充満したワゴン車の中で見つめているのである。張込みをかけている相手とわれわれは何の関係もない。

劣悪な条件での張込みが長引くとイライラしてくる。些細《ささい》なことで仲間うちでの人間関係がギクシャクしてくる。そのイライラは憎しみとなって被写体に向いていく。

「われわれがこんな辛《つら》い思いをしているのは、すべてアイツが悪いんだ……」というように被写体を何の根拠もなく憎むようになっていくのである。われわれは、これを「フライデー・シンドローム」と呼んでいた。

たしかに、張込みは青春の浪費である。しかし、われわれは伝説を作ろうとしていた。撮らなければ浪費だが、撮れたら、長く写真界に語り継《つ》がれる伝説が生まれるのであった。

無意味に（と思っていた）、一週間が過ぎた。何の収穫もない張込みほど辛いものはない。本当に撮れるんだろうか？　アイツは特別だから、絶対に外界の目に触れるところは

立って半畳、寝て一畳。家を持とうとは思わぬ。
宮嶋の幸福は、危険と緊張に満ちた現場にある。
（つつみ荘にて）

通らんのとちゃうやろか？　しかし、大倉が持ってきた情報によると、東拘の面会所は従来と同じ場所で、一ヵ所しかないはずであった。

撮れる！　絶対に撮れる！　という確信がなければ張込みなんかできない。われわれは自分で自分を励ました。

そんなときである。忘れたころにやってきた、天才は宮嶋だが、天災も忘れたころにやってきたのであった。私がぶち壊したゲートの件で会社が何か言っているというのだ。

私の耳に「あの門は何か有名な彫刻家の作らしく、一五〇〇万円くらいするらしい」「タダでは済まんぞ」などという噂が入ってきた。

私は恐る恐る羽田デスクに聞いた。

「すみませんでした……。一説によると、あの門は一五〇〇万円ほどするそうやないですか？」

「うん、そうなんだよ。それは本当だよ。ただし、その金額は今ある門をすべて撤去して、新たにもう一つ作ると、そういう金額になるらしいんだな」

「ゲッ！　やっぱり有名な彫刻家の作というのは本当のことだったんですね」

だが私には、まだ余裕があった。

「でも不幸中の幸《さいわ》いですねえ。対物（保険）が二〇〇〇万円も入っていて……」

「ああ、それ間違いだよ。正確に言うと撤去して新たに作ると一二〇〇万で、レンタカーの対物の限度額は四〇〇万しかなかったんだよ……」

「へっ？」

私は目の前が真っ暗になった。

「よ、よ、よ、四〇〇万ですって！」

「そう、だから差額の八〇〇万円をどうするんだ……、という話になってるんだよ」

「ゲゲッ！」

私は思わず立ち尽《つ》くした。私はちょうどこのころ、あの金色のベンツ300Eから、ベンツ500SEに買い換えたばかりであった。ほうぼうの本で黄金のベンツに乗っていると書いてしまったため、この500SEも、わざわざエンブレムやフロント・グリルを金に塗装しなおしたりしていた。その他、改造費も入れると、そのベンツがちょうど八〇〇万くらいであった。そうすると私は、買ったばかりのベンツを早速、売り飛ばすしかないのか。

呆然《ぼうぜん》とする私に大倉が言った。

「なんや！　おまえ、八〇〇万の現金も用意でけんのか？　ワシが貸したるから、そこいらの机の上に札束積んだれ！」

さすが酒も煙草《たばこ》もやらず、貯《た》め込んでいる大倉であった。

「そ、そ、それで、ハタさんはなんとお答えになったんですか？」

「一二〇〇万なんて数字はたぶん何の根拠もないんだと思う。ボクが調べたところによると、なにもあの門は全部撤去する必要なんかないんだよね。ひん曲がったところを取り換えるだけで五〇〇万だけど、車の板金みたいに、中から叩《たた》き出せば二〇〇万もあれば済んじゃうんだよ。だから、たぶん二〇〇万コースになると思うよ……」

「ハァ……、そうですか……」

この話を聞いた大倉は言うのであった。

「トラックがぶつかるような門やったら、黄色と黒のゼブラにせなアカンぞ！ミヤジマ、夜中にスプレー持って落書きしに行こ！」

「なんて書くんや？」

「決まっとるやろ、ミヤジマ・ゲートや！　もし麻原が撮れたら、アサハラ・ゲートに改名や！」

「そらエエ考えや」

などとバカ話をして、私は、いっこうに事故の反省なんぞしないのであった。その代わり、これは、なにがなんでも麻原を仕留《しと》めなければならなくなった。おそらく、この八〇〇万円の話は、私にハッパをかける会社の親心なのだろう。ありがたさに涙する宮嶋であった。

符合

一週間が過ぎた。晴れた小菅は桜が満開になっていた。のどかな一日であったが、その日も辛く退屈な張込みであった。しかし、一〇〇〇ミリの望遠を覗《のぞ》いていた大倉が「ちょっと気になるモンを見た！」と言いだした。

「なんや？　気になるモンちゅーのは？」

「うん、ここ（小菅）には車椅子の未決囚がおるんか？」

「車椅子？　さあ知らんなあ？　フッーはそんな病人なら八王子（の医療刑務所）に行くんちゃうか。平沢《ひらさわ》（帝銀事件で死刑宣告された平沢貞通《さだみち》）が死んだとこやけど……」

「ふーん、車椅子ねェ？　それをおまえ、見たんか？　撮ったんか？」

「ああ、一応撮った」

その日の夕方、写真は現像された。六枚の連続写真を一目見た瞬間、われわれは顔を見合わせた。そして息を呑《の》んだ！

「な、な、なんや？　これ！」

「おまえ……！　ひょっとして……、これ……」

ハイポの臭いが鼻につく定着液の中の印画紙には、明らかに異様な映像が浮かび上がっていた。ガスがかかり、しかも大伸《おおの》ばしにしているから粒子が荒《あ》れている。撮った大倉はまったく気づいてなかったが、その写真には多くの情報が隠されていた。

警備の刑務官が他の囚人と比べて多いのである。しかも、そこそこに目立たないところに立っているだけでなく、車椅子を押す人間、その車椅子の前、さらに横にも立っているのである。何人かの囚人が数珠繋《じゅずつな》ぎになっている場合は、その前後に刑務官が一人ずつ付く。一人の場合は刑務官が一人、つまり一対一が普通だ。ところが、この写真では一人の車椅子の囚人に八人くらいの刑務官が付いていた。

「顔は見えなかった」と言う大倉の言葉どおり、囚人の顔は刑務官の陰になって見えなかった。

「こんなＶＩＰ待遇の車椅子の人間て誰やろ……」

「おい、この日、刑務官が無線使ってたやろ！　あれ何時や！」

刑務官が一日に一度、もしくは数日に一度、無線機を使っているのをHが確認していた。二人はメモを見合わせた。そしてハッと息を呑んだ……。

「ご、ご、午前十時！」

「こ、こ、こ、この写真も、午前十時や……」

麻原の東拘《トウコウ》内の衣着《いちゃく》は私が朝日のデータ・ベースを利用して、面会した弁護士のコメントから調べてあった。

「衣着は……、黒の作務衣《さむえ》の上下……、ということになっとる……」

「この車椅子の男も黒のジャージのような上下やな……」

「オイ！　これ、麻原とちゃうか……」

「どう考えても、それ以外、考えられんな……」

この日、初めてわれわれは麻原らしき男の撮影に成功した。羽田デスクを呼び出し、写真を見せた。帰宅していたHも呼び出した。

「間違いない！　しかし、これじゃあ、わからないね。お二人さん、これ以上クリアな写真はできないの？」

「八〇〇ミリもレンタルすれば……。これよりはまだマシな……。しかし、天候にも左右されますし……」

「ヨシ、借りれるものはどんどん借りて！　それから人手のほうは？」

われわれは顔を見合わせた。つい先日、一人も張込みに割《さ》けないと言っていた羽田デスクがコロッと変わった。機に臨《のぞ》み変に応ず。このいいかげんさ……、もとい、この変わり身の早さは前任の西川デスク譲《ゆず》りである。

「田中君、キミ、空《あ》いてるなら、二人を手伝ってあげて……」

急に田中裕士さんの参加が決まった。

翌日（四月十日）から作戦を変えた。これまでの撮影場所では、横に刑務官に立たれると顔が写らない。したがってアングルをズラさねばならないのだ。そうすると三脚が使えるスペースがなくなってしまった。しかし出てくる兆候はわかったのだから、だいぶ、やりやすくなった。

レンズもニコン八〇〇ミリF5.6と二〇〇〇ミリF11をレンタルした。これらにテレコンバーター（焦点距離を延長させる器具）を付けると、優に三〇〇〇ミリを超える超望遠レンズになる。三脚はスペースの関係で使えない。台の上にレンズのフードを置き、さらにブレないように、小さな小豆袋《あずきぶくろ》をかませ、かつ、一脚（一本脚のカメラ立て）も併用した。

しかし、その日はまったく動きがなかった。満開の桜がポチポチ散りはじめていた。オウムの写真を取りはじめて約七年（平成八年当時）になる。その間、さまざまなトラブルを体験した。生命の危険を感じたことも一再《いっさい》ではなかった。だが、私がオウムと関わるメイン・イベントは、おそらく今回の写真となるだろう。今回のスクープが、万が一にも撮れたら、これでスッキリ、オウム取材から足を洗うつもり、いやそんなつもりはもちろん、ない。今の日本に正義というものがあるのなら、麻原は死刑であろう。兵庫県の白《はく》陵《りょう》高校のわが後輩、豊田亨《とおる》も重罪であろう。

豊田の父親は白陵高校の体育教師で、私も授業を受けたことがある。一昨年、私は母校の文化祭で講演したとき、職員室を訪ねた。そこに老眼鏡をかけ、スポーツ新聞を読んでいた豊田先生がおられ、私たちはしばらくバカ話をした。当時、先生は息子が東大にまで進学して喜んでおられたのであろうか？

昨年（平成七年）、豊田は永福町《えいふくちょう》の井《い》の頭《かしら》通りを変装して歩いているところを高井戸《たかいど》署員に職務質問され逮捕された。私のアパートのすぐそばである。マサカ、私の家に来る途中だったわけでもあるまい。豊田先生は事件後、死ぬほど悲しんだであろう。こんな身近にもオウムの被害者がいるのだった。

張込みをしながら、私の頭にはいろいろなことが浮かんだ。

知っている人は少ないが、東拘《トウコウ》には刑場がある。「死刑廃止」が叫《さけ》ばれる昨今だが、今年（平成八年）七月にも、この小菅で一名が刑場の露《つゆ》と消えた。死刑廃止を叫んでいる人権派団体の皆さんは、今から一〇年後か二〇年後にやってくるその一瞬、麻原が十三階段を昇るときを、どういう思いで見るのであろうか。ガリレオのように「それでも死刑は廃止」と言うのだろうか。または、土井たか子女史のように「ダメなものは、ダメ」と言うのだろうか。

刑場は東拘の塀《へい》のすぐそばの棟である。しかし、死刑囚は、いったん塀の外に出て、刑場に向かう。その一瞬を私は再び撮りたい。見苦しく泣き叫ぶ小汚《こぎたな》いヒゲ面《づら》を、オウムの全被害者と家族の皆さんに見せてやりたいと思うのである。

東拘《トウコウ》のエレファント・マン

四月十一日、朝十時、兆候があった。ファインダーを覗《のぞ》いていた私は、目立たないところに刑務官が意味もなく立っているのを確認した。

「おかしい……。こりゃあ近いぞ」

大倉も身を乗り出した。私がカメラを構えはじめてから三〇分が過ぎようとしていた。

「おい、代わるか？」

「アホ！　近いんや！　一秒でもファインダーから目を離すな！」

大倉に叱《しか》られる。レンズが重い。掌《てのひら》が汗ばんでくる。レンズを支える手がブルブル震える。疲れのせいか、それともアル中の初期症状か？

やがて刑務官が通路に現われ、まるで鉄道の車掌のように指を差し、確認のポーズをやりはじめた。そしてこっちの方向も見て、指を差した。

「オイ！　官《かん》（刑務官）がこっち指差したぞ！」

「なにィ！　見つかったんか？」

「わからん」

「とりあえず一瞬も目を離すな……」

緊張で吐《は》きそうである。われわれには二人の会話以外、何も聞こえない。東拘内の物音など何一つ届くはずもない。しかし、ファインダーの中から、まるで一メートル先の出来事のように、気配も緊張感も痛いように伝わってくる。

突然、一人の刑務官が通路を歩いてきた。本能的にシャッターを切った。一脚を支える大倉の手も震えている。

「やったか?」

「いや、官や……」

指を休ませたその瞬間、車椅子の前輪が見えた。指が動いた。

カシャッ、カシャッ、カシャッ!

使い慣れないニコンF4(私の愛機はキャノンである)のシャッターが連続八コマ落ちて、やがてファインダー内は、三〇分前と何一つ変わらぬ、桜の花びらの舞う小菅の通路になった。

「やったか?」

大倉が聞く。

「ああ、手応《てごた》えも問題ない。ただ……」

「ただ、なんや?」

「ああ、やっぱり顔が見えんかった気がした」

「ふーん、とりあえず撤収や!」

面会房からの帰りは角度的に撮れない。私は無線でHに「任務完了！　速《すみ》やかに撤収せよ！」と伝え、われわれは再び編集部へ、そして暗室へと直行した。

「どや？」と、大倉が定着液を覗き込んだ。

やがて浮かび上がった映像に二人とも言葉を失った。

「な、な、なんやァ、これ！」

それは車椅子の男であったが、顔はやはり写っていなかった。横に刑務官が立っていたのではない。おぞましいことに、黒い頭巾《ずきん》を被《かぶ》っていたのであった。

「こりゃあ、永久に顔は写らんぞ……」

「しかし、それにしてもおぞましい……。まるでエレファント・マンやな……」

ジョン・ハート主演で映画賞を総ナメにした、白黒映画『エレファント・マン』そのものであった。早速、羽田デスクのもとへ直行した。彼も一目見るなり、絶句した。

「こりゃあスゴイ！　しかし間違いなく麻原だろうか？」

「ヘエ、間違いおまへん！」

「そのとおりです。これ見てください！」と私が写真の一部を指差した。頭巾からハミ出たチリチリの汚らしい髪である。

「うーん、間違いないね。よし！　これでやろう！」

「ちょっと、待ってください！　締切りまでまだ時間ありますよね！」

「いや、この写真ならインパクトあるし、麻原の初公判の四月二十四日の一週間前に発売される号に載《の》せたい！　タイミングも言うことない！」

「しかし、それでも、まだ、日にちがありますよね！」

「あと二日あるね」

「もう一回やらしてください！」

「でもこれじゃあ……」

「ひょっとしたら、春の突風が吹くかもしれまへん。竜巻《たつまき》が起こって頭巾がズレるかも……」

　言っている自分も「そんなバカな……」と思っていた。

　羽田デスクは今までの二人の苦労を察してか、明日の作戦の続行を許可してくれたのであった。しかし、心中は……、どうせ、これと似た写真か、ちょっとマシな写真が撮れるだけであろうと思っていたにちがいない。当事者のわれわれですら、そう思っていたのだから……。

塀のない通路は約3メートル。人は1秒で通過する。その1秒をファインダーを覗きつづけて待つ。張込み10日目、ついにおぞましき姿を捕らえる。

しかし、春の神風は吹いたのである。

祝杯

四月十二日、早朝からわれわれは小菅にいた。今日と明日で、もうここに来なくてもいいのである。この仕事が終わったら、浴《あ》びるほどウォッカを飲もう。男根《チンポ》から煙が出るくらいやりまくろう。どの女とやろか。もうすぐゴールデン・ウィークである。海外で休暇も悪くない。もちろん、ヨーロッパである。

私は大倉とは付合いが長い。われわれ二人のことを仲がいいと思っている人がけっこういる。たしかに仲は悪くはない。お互いの長所短所は知り尽《つ》くしている。しかし、親友ではない。サシで酒を飲んだことは一度もない。バーで語り明かすなんてことはないのである。

出張先で、やむをえず一緒にメシは食《く》う。しかし、偏食が激しい大倉とそうそうメシを食うわけにもいかない。二人の共通の好物は寿司とお好み焼きくらいである。酒が飲めない大倉と、そういう関係はこれからもおそらく変わらないであろう。しかし、大倉と「この仕事がうまくいったら、祝杯を上げよう」と約束していた。

この日、早朝から動きがまったくなかった。十時を過ぎてからは、ほぼ諦《あきら》めかけていた。これまで十時以降、車椅子が出てきたことはなかったからである。

「今日は、アカンか？」

休憩に入っていた私が携帯テレビで、十一時からのニュースを見ようと考えていたときであった。諦めかけた十時四十分、Hから無線が入った。

「ウサギ（Hのコール・サイン）より、ツル（大倉のコール・サイン）、カメ（私のコール・サイン）へ……」

「ツル、カメ、感度良好、ウサギどうぞ……」

「様子がおかしい、注意されたい！」

今まで何度もあった無線のやりとりの一つにすぎないと、このときは思った。

だが、しばらくしてファインダーを覗《のぞ》いていた大倉も、

「うん？　やっぱり、おかしい！」

一気に緊張した。ストップ・ウォッチ（腕時計についているやつ）を計測しだした私は、大倉に怒鳴《どな》る。

「一〇分経過！　ただ今十時五十分！」

「一五分経過」

疲れてきたのか、カメラとレンズを支える大倉の手がブルブル震えている。私は素早く一脚を支えなおし、ストップ・ウォッチを確認して叫《さけ》んだ。

「二〇分経過！　いちばんクサイぞ！」

この日も小菅は薄晴れであった。午前十一時、ついに神はわれわれに味方してくれた。超高感度フィルムはハイライトとシャドーでは画質がまったく異なる。とくにシャドー部分の画質の劣化は、はなはだしい。さらにこのシーズンの遠距離撮影ではモヤがかかる。しかし、適度に風があった。そして薄晴れのため、コントラストが強くなかった。暗くもなかった。太陽はほぼ真上にあり、通路の屋根の下の人間をやわらかい光が包んでいた。一脚を支えながら、私も狭いアングルを肉眼で凝視《ぎようし》した。そして人間の一団が通過するのが見えた瞬間、大倉のニコンF4が連続シャッター音を奏《かな》でた……。

「おい！」

私は呆気《あつけ》にとられた。肉眼でも車椅子ではないのがわかったからである。

「おい！　今の、そうなんか？　マサカ、今のがそうなんか？」

大倉は持っていたカメラから手を離し、私の肩をガチッと両手で摑《つか》んだ。

「歩いた……。アイツ歩いとった……」

「おい！　どういうこっちゃ。麻原なんやな、今のは！　頭巾《ずきん》は？……」

「な、な、なかった。ヒゲと長髪は確認できた……」

そこからは言葉にならなかった。

「ど、ど、どないしょう？　撮れた。撮った。麻原が撮れたァ～」

「ええっ、ホンマか？　手応《てごた》えは⁉」

「ワシもプロや！　問題ない！」

「よし撤収や、小菅とはおさらばや！　ワシらは今日、伝説を作ったんや！」

大倉はめったに興奮しない。そのへんが、しょっちゅう興奮する私と比較されて、冷静沈着なカメラマンとしての評価がある。かたや私は、一時の興奮のために思わぬ成功もあれば失敗もある。

長い付合いである。フライデー以来である。大倉と一緒に過ごした時間は前の女房はもちろん、ほかのどんな女より長い。そして彼が興奮しているのを、私は初めて見た。

映画『フレンチ・コネクション』に二人の刑事が事件解決のカギを摑み、バドワイザーをかけあうシーンがあった。一度これをやってみたかった。そばにあったウーロン茶を思いっきり振って私は大倉とかけあった。

「アハハハ……、やめんか、こら、レンズが濡《ぬ》れるやんけ！　こら！　やめんか！」

「ヒヒヒ……、かまうかえ、どうせレンタルや！」

「ハッハッハッ！　ザマァみさらせ、これ見たらFF（フライデー、フォーカス）の連中どころか、新聞・テレビの連中もビビリまくるぞ！」

「知るかえ！　田島さん（フォーカス編集長）の顔が目に浮かぶで。音羽《おとわ》（フライデー、週刊現代）のカメラマンなんか、怒鳴られまくるぞ！」

「知るかえ、撮ったもん勝ちじゃ！」

　とりあえず、われわれはすぐに現像に入ることにした。

「カメからウサギ！　任務完了！　すべての機材を撤収せよ！」

　無線をHに飛ばし、われわれ三人は編集部に帰った。

　暗室から出てきたのは、ほかのいかなる追随《ついずい》も許さない、決定的な写真であった。まさに、歴史的な写真である。しかし、われわれの写真は写真界では無冠で終わる運命にある。雑誌協会の年間賞にもわれわれの写真が選ばれることはない。われわれは雑協の会員でないからである。

「うーん、まさか撮れるとは……」

と羽田デスクが本音を漏《も》らした。われわれ二人が後に続いた。

「これは、ドえらいことになりますよ！　覚悟はいいですね」

「うーん、スゴイ！」

この写真は編集部でも極秘扱いとなった。知っているのは平尾編集長、羽田デスク、担当の田中氏など、ごくわずかな人間に限られた。

前任の西川デスクが、フォーカスの松田聖子のスクープ写真なんかを見て、言っていたものである。

「のう！　宮嶋！　ワレらもこういう『うわ～～！　なんじゃあ、この写真は？』と言われるような、ガビーンちゅう張込み写真をやってみたいもんやのォ！」

お世話になった西川さんのデスク時代に、こういう特大スクープをやりたかったものである。

四月十三日、われわれにはまだ最後の大事な仕事が残っていた。何事も仕上げが肝心《かんじん》である。ボクシングでは最後にリングに立っている者が勝ちである。私の嫌いなゴルフにしてもパターが大事である。最後の仕事はわれわれの張込みの形跡を完全に消し、なおかつ、他社に撮らせないことであった。

文春のグラビアは締切りから発売まで、写真誌と比べて時間がかかる。その間に他社に抜かれてはスクープの価値は一気にゼロになる。われわれが張込みをかけていたとき、他社が同じ仕事をしていた気配はない。それを最後まで確認しなければならない。しかも文春の発売と同時に、いやスクープの発覚と同時に、現場を荒《あ》らしまくって二度と麻原を撮るチャンスを他社に与えないことである。そうすることにより、麻原の死刑まで、われわれの写真は使われつづける。

われわれは昼前に小菅に集合した。そして張り込んでいたところに煙草《たばこ》の吸い殻一本、落ちていないようにし、かつ指紋まで拭《ふ》いた。別に違法な取材をしたわけではないから、そんな必要はない。だが、この撮影場所だけは誰にも知らせたくない。

次に、われわれは一帯をパトロールした。ちょっとでも不審なマスコミがいれば即一《ヒャク》〇番《トウバン》か東京拘置所にチクリの電話を入れるためである。昨日の敵は今日の友である。しかし、特に変わったことはなかった。

四月十六日、火曜日には車内吊り広告が出来上がった。スペースの半分を使って「麻原を撮った！　塀《へい》の中でサンダル履《ば》きで……」とあった。この時点で文春社内はもちろん、

麻原の顔が撮れる可能性は、ゼロに近かった。撮れたのは運である。だが、運を拾えたのは、わずかな可能性を追求しつづけた執念である。
（平成８年４月12日午前11時　撮影・大倉乾吾）

広告代理店や他社にも「文春が麻原を撮ったらしい」という噂が駆《か》け巡《めぐ》った。

四月十七日、水曜日の夕方、出来上がった週刊文春を見ていると電話が入った。

「おい！　今、車内吊り（広告）見たけど、アレ、まさかおまえらがやったんじゃ……」

鎌田である。車内吊りを見て、携帯電話からかけてきたらしい。電車の音がしている。

「おー！　黙っとって悪かったのォー。ワシらがやったんじゃ！」

思いきり威張《いば》って言ってやると、終わらぬうちにプッンと切られてしまった。

しばしいい気分に浸《ひた》っていると、また電話が鳴った。

「現物、見に築地《つきじ》（朝日新聞東京本社）まで行ってきたんや。やってくれたのォー。ワシらも明日から狙《ねら》おうと思って、車も人も手配したばかりやぞ。どないしてくれんねん。これ、やっぱりあそこの上か？　それとも高所作業車か？　レンズはホンマに二〇〇〇ミリか？　どう見ても、四〇〇ミリくらいの画質やぞ、これは――」

早口にまくしたてる鎌田の気持ちが、よーくわかる私であった。だが手の内を、そうそう容易《たやす》く明かすわけにはいかぬ。私も一〇年以上、そうやって人の技術を盗みつづけたのである。おそらく鎌田も、これから何年も悶々《もんもん》と悩むことであろう。

彼らの前に厳然と屹立《きつりつ》する、そう、伝説を私たちは作ったのである。

2 不肖《ふしょう》・宮嶋、死んでもカメラは離しません

――獅子身中の虫、修羅場《しゅらば》の韓国・光州《こうしゅう》に一生の恥

宮嶋家の家訓

「ウンはわが手で摑《つか》め」は、宮嶋家の家訓である。この宮嶋、家訓に従い、あまたのウンを摑んできた。ラッキーなウンもあれば、クサいウンもある。わがシブい人生の中でも最もクサいウンを摑んだのは、平成二年五月十八日、韓国でのことであった。

遡《さかのぼ》ること九日前、五月九日早朝。アパートでゴミに埋《うず》もれて寝る私に、一本の電話がかかってきた。

テレビで見た『スパイ大作戦』だと、ここで「おはよう、フェルプス君、さて今回の君の仕事だが……」となるのだが、現実はそうかっこよくはない。

ボーッとした頭に響いたのは、週刊文春の西川デスクの声であった。

「なんじゃ。まだ寝とんのか？　もう八時やぞ。ところで、おまえ今週空《あ》いとるか？　よし、ほな、海外出張や」

相変わらず強引である。それでも、海外出張と聞いてスキッと目が覚めた。

「か、か、海外出張と言うても、いったいどこでっか？」

「アホか、おまえは？　テレビ見とらんのか？　今ソウルは、はじけまくっとるぞ」（はじける＝収拾がつかなくなって大騒動になること）

「ええ、それは知ってますが……、それでいつから？」

「またまたアホか、おまえは？　今日からに決まっとるやないか」

出版界のシャイロックこと西川デスクである。この人の辞書に時間とカネのムダはない。その辞書の八割は、内外タイムスのエロ方面の電話番号で埋《う》まっているのだが、ここではそれは関係ない。とにかく、即、行動である。

こんなこともあろうかと、私は四、五日前に韓国の観光ビザを抜かりなく取得していた。ソウルが荒《あ》れそうだというニュースが流れ出したからだ。フリー・カメラマンはこういうとき、どこぞの国で何かありそうだという情報があると、事前にビザを取得しておくのが鉄則である。当時、韓国に行くには、観光であってもビザが必要であった。

西川デスクは「日曜の締切りまでに帰ってこい」と言っていた。となると、せいぜい三泊である。荷物もそんなに必要ないだろう。三〇分もしないうちに、出発準備はできた。

そこで夕方の大韓航空を予約して、週刊文春編集部に向かう。

ところが、西川デスクの様子がおかしい。

「ふーん。まずいなあ。どうやら騒動は収まりそうやで」

「どないします？　せっかく行ったのに、なーんも撮るもんがないちゅう、最悪のケースもありますからね」

西川デスクは、ちょっと考え込んだものの、決心したように言った。

「ふむ、そんときはそんときや。現地で札束の威力を発揮して、オモロそうな写真を買い付けてこい。ええな」

これが天下の文春デスクのセリフである。しかし、私は「ヘイッ」と叫《さけ》ぶと、編集部から二〇万円を借り出し、成田へ向かった。韓国の金浦《キンポ》空港へは、ほんのひとっ飛びである。

「コリア大変」

早速、産経新聞ソウル支局の黒田勝弘《かつひろ》支局長と連絡を取る。のちにボーン上田賞を受賞した人である。ソウルのヒルトン・ホテルの鉄板焼屋に行き、ごっつう高いメシを食《く》った。そのときに、共同通信の平井記者も紹介された。平井氏は、私より一〇歳くらい年上に見えた。

二人の話によると、ソウルのデモは、それはそれはすさまじいものだったらしい。しかし、すでに、焼き打ちされたバスなどもすっかり片付けられ、街はふだんどおりだということであった。最悪のケースである。これでは、カメラマンとしての私の仕事はまったくない。

何だか、気が抜けてしまった。カメラマンというものは、写真を撮らなくてもいいとわかるとあとは気の抜けたビールも同然。のんびりと酒を飲んで、キーセンも買わずにホテルに戻った。

次の日からは写真集《あつ》めである。日本の報道機関のソウル支局をはじめとして、ロイターなどの外国通信社まで回った。しかし、契約の関係もあってか、あまり目新しい写真はなかった。

夜になると、平井氏から、共同通信のストリンガー（特約記者）をやっている金在桓《キムジエファン》という若いカメラマンを紹介された。英語も達者で、フリーでいろんな報道機関のストリンガーをやって食っているという、韓国版・今枝弘一《いまえだこういち》（注・土門拳《どもんけん》賞カメラマン。私の終生のライバルだが、相手はそう思っていない）みたいなヤツである。写真（ベタ焼き）を見せてもらうと、これがなかなかいける。「よっしゃあ、買った」と即決。一枚五〇〇〇円で四枚買うことにした。

プリントが出来上がるまで、しばし鰻《うなぎ》屋で待つ。ところが、いくら待っても来ない。

そろそろ不安になってきたころ、金《キム》青年は八×一〇インチのプリント四枚を持ってやってきた。

なぜ遅くなったんだと聞いてみると、これがいい。日本の週刊誌のグラビア・ページに、自分の名前入りで写真が載《の》るというので、うれしくてたまらなかったのだそうだ。気合を入れてプリントしたので、満足のいく写真を作るのに時間がかかってしまったと言う。かわいいことを言ってくれる。

というわけで、無事、仕事も済み、私は締切り当日に帰国することができた。キャプションを整理してデータをまとめ、その週の仕事は終わり。

えらいことが起きたのは水曜日であった。刷《す》り上がった週刊文春を手に取って私は仰天《ぎょうてん》した。金青年の写真は、堂々五ページの大特集。ところが、そのタイトルが「コリア大変」となっているではないか。

西川デスクという人が「バカは埋めなきゃわからない」（209ページ以下参照）とか「納涼流しウーメン」（ウォーター・スライダーに水着ギャルを次々と滑《すべ》らせ、ローアングルで撮る企画）とか、毎度毎度しょうもないタイトルをつけるためにだけ存在している人であることはわかっていた。あれだけセコイ人が、給料は変わらんのに、タイトルだけは必死で考えるのである。おそらく、このタイトルも韓国大使館あたりからクレームがつくであろう。しかし、ま、私の知ったことではない。

もちろん、ソウルの金青年にも掲載誌を送った。が、自分の写真のタイトルを翻訳されたらどう思うだろう。きっと怒るだろうなぁ……と思ったが、これまた私の知ったことではない。

ニュース・グルーピー宮嶋

翌週、光州《こうしゅう》事件一〇周年の大規模デモが、現地で予定されていた。そこで、私はまたビザを取って韓国行きに備えることにした。

その日が近づくにつれ、韓国情勢があちこちで採《と》りあげられるようになってきた。日本のテレビも盛り上がっている。これは荒れる……、私は直感した。

光州事件については、もはや詳しいことを述べる必要もないだろう。この事件をめぐって全斗煥《チョンドファン》・元大統領と盧泰愚《ノテウ》・前大統領は、なんと事後法で裁《さば》かれ、死刑とか無期懲役の求刑を受けたのである。事後法とは法律を新たに作り、その法律によって昔の行為を罰するという野蛮きわまりない刑法で、こんなことをやる国は近代国家ではない。

もし今の日本で姦通罪《かんつう》が復活して、復活以前の行為も罰せられるということになると、日本中のカメラマンの九九パーセントは刑務所送りとなることだろう。事後法で裁くとは、それほどひどいことだが、光州事件そのものも、それはそれはひどい事件であった。

光州は、韓国南西部にあり、日本では金大中《キムデジュン》の出身地として知られている。ここは、昔から反体制的な風土の土地である。この地の人びとは、歴史的に何度も傷めつけられてきたためか、何かにつけてインネンをつけないと気がすまない気風の持ち主が多い。まるで阪神ファンのような土地柄だが、そこに私は深いシンパシーを感じるのであった。

私にとって光州の訪問は三回目である。前回は、数年前のこと。盧泰愚大統領（当時）が電撃的な民主宣言をして、怒濤《どとう》の大統領選挙に雪崩《なだれ》込んだときであった。そのとき私は、フライデーを辞めた直後で、ヒマをこいていた。そこで、わざわざ光州くんだりまで出かけようと思い立ったのである。

当時、韓国は、日本のジャーナリストやカメラマンで、それはそれは盛り上がっていた。今枝弘一は来るわ、フォーカスからは鷲尾《わしお》カメラマンは来るわ、梅崎《うめざき》カメラマン（江川紹子さんの夫君）は来るわ、木暮《こぐれ》カメラマン、上森《うわもり》カメラマンに、水本《みずもと》カメラマンまで来た。そのほか、わけのわからないチンピラ・カメラマンまで、大挙して韓国に繰り出していたのである。

そして予想どおり、韓国全土は大荒れに荒れた。そのときも、やはり光州が荒れるというのでみんな行った。

アサインメント（新聞、雑誌などからの依頼）がある人はソウルから飛行機で行き、アサインメントのない私や梅崎さんは、ソウルからバスで一〇時間かけて行った。また、アサインメントのある人は、光州のロイヤル・ホテルかリバーサイド・ホテルに宿泊していたが、私や梅崎氏はバスターミナル近くにあるオンドル付きの木賃宿に泊まっていた。一泊二〇〇〇円もしない宿だが、ちゃんと風呂が付いていた。

私たちが光州のバスターミナルに着いたときには、すでに催涙ガスの臭いが漂《ただよ》っていた。そして投石のために、歩道のコンクリートが剝《は》がされまくっていたのである。あれは、クリスマス前の寒い夜のことであった。

その光州に、今回は週刊文春のアサインメントで行くことになった。そうなると、大名旅行である。ソウルではソウル・ホテルに泊まり、光州には飛行機で行ける。

桑原史成《くわばらしせい》先生も老骨に鞭《むち》を打って、週刊文春のアサインメントで来ていた。この方は私を日本写真家協会に推薦してくれた人である。桑原先生もそうだが、韓国に来るフリー・

カメラマンはみんな韓国に並々ならぬ興味を持ち、みんな異常に韓国が好きである。もの好きにも、朝鮮語を勉強している人もいる。桑原先生もそうだし、文春写真部の田中茂さんも、その一人である。

共同通信の平井記者に至っては、朝鮮語がペラペラである。大韓航空機爆破事件の蜂谷《はちや》真由美こと金賢姫《キムヒヨンヒ》の記者会見でも、朝鮮語で質問していたくらいだ。韓国の曖昧《あいまい》な雰囲気が大好きで、できたら帰国したくないとまで言っていた。このあとになって、二〇ほど年が離れた若いベッピンの韓国人女性と結婚したという、国籍不明の人物である。

それに対して、私のような、〈ニュース・グルーピー〉というのは、どこかで物事がはじけると、イソイソとどこにでも行ってしまい、いかなる思想も知識も乏《とぼ》しく、何の感激もなく、単なるミーハーであり、お祭り騒ぎが好きで、犠牲者が多ければ多いほど喜ぶという、トンデモないフリー・カメラマンのことである。〈ニュース・グルーピー〉は稀《まれ》である。

光州には、共同通信の平井さんも、ストリンガーのカメラマン二人をともなっていくという。そこで、光州のリバーサイド・ホテルを予約してもらった。光州で、まともなホテルはロイヤル・ホテルとリバーサイド・ホテルしかない。そのときすでに、世界各国から取材に来るジャーナリストでこの二つのホテルは満杯状態であった。

床屋でエッチ⁉

ソウルに着いた次の日、飛行機で光州に向かった。韓国の国内線に乗るのは初めてである。驚いたことに、空港はもとより、上空からの撮影も厳禁だという。離着陸のときは、ご丁寧《ていねい》にも日除《ひよ》けを降ろされる。光州空港では、愚《おろ》かにも隣の空軍基地にカメラを向けた日本人の団体観光客がいた。すぐさま、M16を持った兵隊が飛んできて、小突き回されていた。

次の日が早いというのに、その日の夜は、平井さんに夜の光州を案内してもらった。光州では、いつも木賃宿に泊まりコソコソしていたので、〝いいところ〟へ足を踏み入れたことはなかった。

床屋マークだがエッチそうな床屋とか、ハンブルグの飾り窓のようなものがあり、ピンクのネオンの下、厚化粧の女性が、チョゴリを着て座《すわ》っていた。平井さんたちと一杯やったあとで、一人ぶらぶらと歩いてみた。光州は小さな街なので、あらかた歩いていける。大規模なデモの前夜というので、通りも閑散としていた。でも、ほとんどの店は開いている。ただ残念なことに、エッチ床屋はすでに閉店の時間らしかった。私は、飾り窓のほうに行ってみることにした。

飾り窓で、私は好みの女性を見つけた。そこで、すかさず建物の中に入っていった。中は、カーテンで仕切られている。その奥で、酒を飲んでドンチャン騒ぎするのであろう。どうせ英語もわからんだろうから「おーい。このネェチャンと遊ばせくれェ」と日本語で叫《さけ》んだ。すると、奥のほうから薄汚れたヤリ手バアサンが揉《も》み手をしながら出てきた。ところが、私が日本人とわかるやいなや、ニタニタのスケベ笑いがピタッと止まった。「おまえはイルボンやスミダ！　とっとと出ていくハセヨ！」なんてことを言われたのだろう。腕を摑《つか》まれて、外に追い出されてしまった。

「チェッ！　しょうがない。ほかへ行こう」

いろいろな店をめぐり、好みの女性を探しては入っていった。でも、結果はどこも同じである。「カネならあるんや！」と言ってみてもダメであった。

不思議である。せっかくこっちから客になってやろうとしているのに……。

日韓摩擦の現実を嚙《か》みしめながら、私は、不発のまま、リバーサイド・ホテルに帰るしかなかった。

警察に踏み込まれた夜

翌朝、平井さんにこのことを報告すると「おかしいなぁ。宮嶋さんの顔に敵意があったんじゃないの？」と、不思議そうな顔をしながら笑っていた。

だいたい、これまでも、光州ではいい思い出がない。前回、木賃宿に泊まっていたときのことである。深夜いきなりドアを叩《たた》く者がいた。

「なんや、今ごろ？　上森カメラマンでも遊びに来たのかな？」

そう思ってドアを開けると、見知らぬオッサンが四人立っている。二人の男は身分証明書のようなものを見せた。「なんや、わからん」と日本語で答えると、残りの二人のうちの一人が、日本語で話しかけてきた。

「この二人の方々は警察の人です。私は通訳を頼まれた者です。もう一人の方はこの宿のオーナーです」

早い話が、警察に踏み込まれたのであった。

どこで見つかったのだろうか。そもそも私の体は、叩けばいくらでもホコリが出てくる。だいたい、ビザからして観光ビザしか取っておらず、入国目的も〈観光〉となっていた。韓国のような報道管制の厳しい国では、外国人が政治活動の写真を撮るには、必ず

〈取材ビザ〉を取得しなければならない。そのうえ、たとえ取材ビザを取っていても、情報省の許可がないとフィルムを国外に送ることができない。本当にウルサイ……、もとい、シビアーな国だ。それくらいだから、報道関係者には、ことのほか対応が厳しい。実際に、日本人ジャーナリストが二人、何年にもわたって身柄を拘束されていたことがあった。最近（平成八年当時）でも、フジテレビの人間が身柄を拘束されている。

さて、私のところに乗り込んできたオマワリさんは、私のパスポートを見るや、大声で叫んだ。

「ほれ見てみいスミダ！　こいつ観光で入国しとるハセヨ」

こんなことを言っているにちがいない。オニの首でも取ったような調子だ。これはイカン。きわめて、イカン状況である。

「アナタ、入国の目的は何デスカ？」

「もちろん観光でぇす。日本での職業はデザイナーでぇす。趣味で写真を撮ってまぁす。クリスマスの休暇で、韓国の田舎を回ってまぁす」

と言いながら、床に散乱していた荷物のうち、ガスマスクを尻の下に隠した。案の定、部屋の中を見せてくれと言って、令状も持たないくせに、私の少ない荷物をひっくり返す。

最後に「はよう国へ帰れスミダ」と捨てゼリフを残して帰っていった。冷や汗をかいた。まったくもって不愉快であった。

光州での不快な経験は、これだけではない。

私の泊まったところは、木賃宿のくせにテレビがあった。深夜、ボーッと見ていると、なんとアメリカ製の超ドエッチのポルノ・ビデオが流れたのだ。ご存じのように、韓国は日本以上にエロにウルサイ。それなのに、一般電波にノーカットのドスケベ・ビデオが流れたのである。私は、最後まで悶々《もんもん》として見ていた。

次の朝、みんなに「昨日、見ましたぁ？」と聞いたが、誰も見ていないと言う。きっと木賃宿だから特別チャンネルなんだとか、たまっとるもんやから妄想でも見たんやろと、とんだ濡《ぬ》れ衣《ぎぬ》を着せられた。それにもかかわらず、その晩、みんなこぞって私の木賃宿に押しかけてきた。深夜まで眠い目をこすりながら見たが、最後までその映像は現われない。「ケッ！　寝ぼけやがって」とか「宮嶋がたまりすぎて妄想を見た」とか断定されてしまった。このときも、じつに不愉快な気分であった。

そんな相性の悪い光州である。今回も、ただで済むわけがなかった。

キムチを食《く》いすぎた人びと

いよいよ運命の十八日。

早朝から共同墓地で慰霊祭をやるというので、私も出かけることにした。墓地は、市内から車で一時間ほど離れた山の中にある。山道の麓《ふもと》にタクシーを待たせ、トボトボと墓地まで歩いていく。

共同墓地では、のぼりなどが立てられ、光州事件の犠牲者の家族が大勢押しかけていた。墓の前では、白いチョゴリを着たしわくちゃのバアサマたちが、墓の前に座《すわ》り込んでオイオイ泣いたり、墓を撫《な》でたりしている。お決まりの風景だ。たぶん、あれは韓国の伝統的な風習として有名な〝泣き女〟なんだろう。

挙句の果てに、盧泰愚《ノテウ》や全斗煥《チョンドファン》の藁《わら》人形に火を点《つ》けては、それを代わるがわる木刀で叩きはじめた。ある人は怒りながら、ある人は泣きながら、人形を叩いては気勢を上げていた。日本人の私の目には、やっぱりこれは、キムチの食《く》いすぎとしか思えない。私は、こういうパフォーマンスが大嫌いである。

こんなところにいても、週刊文春で使えるような写真は撮れない。早々に切り上げて、町に戻ることにした。

光州市のメイン・ストリート錦南路《クムナム》では、すでに一〇万人集会の準備が進んでいた。町を取り囲むように、大量の機動隊もやって来ていた。「ム、これは荒《あ》れる」と、私は直感した。

それにしても、日本の報道機関は、すでにあらかた来ていたのではなかろうか。テレビはもちろん、新聞も現地のストリンガーを雇ってきていた。週刊誌も各社が揃《そろ》っている。ライバルのフォーカスからはYカメラマンが来ていた。日本人のチンカス・カメラマンも大勢来ていた。

いったんはじけたら、各雑誌に写真が流れることは確実であろう。油断のならない、まことに意地汚《いじきたな》い連中である。彼らさえいなければ、私ものんびり取材ができるが、ここはひとつ戦わねばならない。

やがて、どこから湧《わ》いて出たのか、錦南路は人で埋《う》まり、一歩も動けないほどになった。気色悪いほどの人間の波である。これはこれで、そこそこ写真にはなった。ただ、みんなおとなしすぎる。チョゴリや民族衣装を着た連中が、シュプレヒコールを上げるだけだ。これでは、がっかりである。一〇万人が一挙に暴れたら、それこそ大変なことになるだろう。写真界の狙撃手としては、それをひそかに期待していたのだが……。

日帝三六年のウラミ

気が抜けたところで、急に腹が減ってきた。そう言えば、早朝から何も食っていない。ほかのカメラマンもぼちぼち退屈しだしたようである。そこで、フォーカスのYカメラマンともう一人のカメラマンと私の三人で「よし、メシでも食おう」ということになった。行き先は、Y氏がメイン・ストリートのはずれで見つけたカルビ屋に決めた。そこならば、たとえ急にはじけても、飛び出していける。おまけに、対抗誌のカメラマンも一緒なので特オチがない。いいことずくめのハズであった。

連れていかれたカルビ屋は、小さくて汚いところだった。バアサマが一人でやっており、そのバアサマも、店に負けず劣《おと》らず汚かった。肉とメシを頼むと、バアサマがテーブルのコンロで焼いてくれた。

「あーあー。話が違うぞ。一〇万人が大暴れ、町は内乱となり、町には死体が溢《あふ》れかえる！　こういう話やから編集部を騙《だま》して、わざわざ来たっちゅうんになあ」

「ホンマやで、集会に集まっとんのは、烏合《うごう》の衆や。根性なしばっかりや！」

好き勝手なことをしゃべっていたと思う。だいたい焼肉を食いながら、死体の話ができるのは、カメラマンという人種だけであろう。

肉はまああうまく、キムチも、肉を包む菜っ葉もうまかった。久しぶりのメシなので腹いっぱい食った。最後に、バアサマがエビやイカまで持ってきた。

「あれ？　こんなもん注文しとらんど。バアサン、何かの間違いや！」

すると「ちがうスミダ！　これはサービス、ハセヨ」みたいなことを言っている様子である。

「おお！　気が利《き》くやないか」

私たちは、意地汚くも喜んだ。これがそもそもの間違いであった。外国のバアサマの好意など頭から信じた私がバカであった。日帝三六年のウラミは今も健在するのであった。

外はすでに薄暗くなっている。

ともあれ、よく食って外に出た。通りに出てみると、何か様子がおかしい。みんな小走りである。しかも、ただでさえ暗い光州の町は、街灯が壊れているのか、ますます暗く感じられた。

すると、どこからともなく柑橘《かんきつ》系の臭いが漂《ただよ》ってきた。待たせやがって！

もうすぐ〝それ〟がやって来るのを、体中の神経が感じていた。目の前をおびただしい群衆が移動していく。ほかのカメラマンは、もうどっかへ見えなくなってしまった。

柑橘系の臭いというのは、催涙《さいるい》ガスである。

ここで韓国の催涙ガスについて、簡単に説明しておこう。ハッキリ言って、韓国の催涙ガスは強烈である。あのフィリピンのマルコスですら、輸入をためらったというシロモノだ。日本のカメラマンの間でも、韓国に行ってこの臭いを嗅《か》げば、一年間は子どもを作ってはいけないと言われているほどである。なにしろ、一度臭いを嗅ぐと「一〇〇万円払うから、なんとかしてくれェ」と哀願するくらいすごい。もう何をする気にもなれない。

この催涙弾は、レミントンの十二番ゲージのショット・ガンから発射される。機動隊二人一組で、一人が発砲、一人が装塡《そうてん》する。弾丸は、コーラの太缶くらいの大きさで、外側は薄い竹でできている。銃の先に装塡すると、安全ピンを抜く。発射と同時にL字型のレバーがはずれ、レバーの陰に隠れている撃針《げきしん》がバネではじかれ、点火される。そして、三秒くらい後に雷管《らいかん》に点火されて爆発、中に詰《つ》まった催涙パウダーが飛び散るという仕掛けだ。

この方式は〈着地式〉、または〈パウダー式〉と呼ばれている。日本の機動隊のものと違い、投げ返される心配がない。欠点は、強力すぎることである。したがって、撃つほうもガスマスクを着用しなければならない。カメラマンも全員、ガスマスクを着ける。これを着けないと、仕事にならない。外に出られないのだ。

ただ、そのガスマスクはそこいらへんでは売っていない。そんなに簡単に手に入ったら、学生も買ってしまう。ガスマスクは、知る人ぞ知る、ソウルのスタジアム近くの、とある店で売っているのである。消火器屋がいっぱい並んでいる商店街の中にある。買うときには、とくに身分証明書は必要ない。

以前は、韓国製が四〇〇〇～五〇〇〇円、アメリカ製が一万円くらいで売られていた。ところが、オリンピックが終わって数年すると、二倍に値上がりしてしまった。おまけにヘルメットとセット売りである。

ガスマスクは、慣れないと息苦しい。しかも、視界が狭くなって恐怖感もある。また、常時酸欠状態なので、頭痛もする。それでも、一度催涙ガスの臭いを感じたら、すぐ着けなくてはいけない。そして、再び安全な場所に着くまで絶対はずしてはならない。苦しいからといってはずすと、元も子もない。たとえ安全地帯に着いても、気軽に上着を脱いではいけない。上着にパウダーが付着していると、そこで、のたうちまわるハメになる。

また、もう一つ、〈リンゴ弾〉と呼ばれる恐ろしいものがある。これはアメリカ製の手《しゅ》榴弾《りゅうだん》とほぼ同じ形で、色はグレーである。ピンを抜き、レバーをはずして、身近な暴徒に向けてコロコロと転がす。数秒後、暴徒の足元で爆発。パウダーで包まれ、のたうちまわるというシロモノである。韓国の機動隊は必ず両の掌《て》に持ち、ピンを中指に通している。そして群衆を見ると、気軽にポンポン投げる。

さらに、装甲車の天井から、機関銃のようにドドドッと撃ち出すという最終兵器がある。これは、トラガス(トランキライザー・ガスの略か?)と呼ばれている。根性のある韓国の学生も、さすがにこれが来ると逃げる。なぜかガスマスクも効《き》かないと言われていた。

韓国の機動隊はというと、これは軍隊と一心同体のようなものである。韓国の軍隊は、ご存じのように、男と生まれたからには完全徴兵である(三八度線の村だけは例外らしいが)。徴兵されると、陸・海・空、海兵隊に入隊するが、中には暴徒鎮圧のため、機動隊として出動することもあるのだ。もちろん機動隊は強いのだけれど、機動隊自身が学生を検挙しているのは、あまり見たことがない。

そこで登場するのが、〈白骨団《はっこつだん》〉と呼ばれる集団である。いわば、機動隊特殊部隊のようなものだ。彼らは、私服(GパンにGジャンが多い)の上にスネあて、ヒジあてなどの武

韓国機動隊の別動隊、泣く子も黙る〝白骨団〟。
機動隊も学生もほぼ同年齢。対立は境遇の違いか、
思想の違いか。（1990年5月、光州にて）

装をし、アメリカのハイウェイ・パトロールのようなヘルメットを被《かぶ》っている。ガスマスクをしていないときも、マスクを着けている。武器は、おもにリンゴ弾と鉄パイプだ。

この白骨団こそが、学生をしばきまわして検挙する役目を負っているのである。彼らは、なんとガスマスクを着けたまま、全力疾走して学生を捕《つか》まえる。まさに、恐るべき集団だ。ふつうの人間は、ガスマスクをしたら、とてもではないが走れない。酸欠で吐《は》きそうになる。学生から忌《い》み嫌われ、恐れられている集団である。

金縛《かなしば》り催涙《さいるい》ガス

学生はというと、生身の体にマスクを二重にし、目にサランラップを巻いただけである。もちろん、そんなもので韓国の強力なガスが防げたら世話はない。では、韓国の学生はあのガスの中でどうして暴れられるのか。ハッキリ言えば、彼らは、ガス慣れしているのである。まるで耐性菌かゴキブリのような話だが、〝習うより慣れろ〟の諺《ことわざ》どおり、彼らはじつに逞《たくま》しい。

共同通信の平井さんの話によると、報道陣がガスマスクを持っていなかったころは、やはり学生と同じような〝出立《いでた》ち〟だったそうだ。それでも、何回も取材を重ねていくうちに、平井さんもガスに慣れてしまったそうである。こりゃ具合がいいと喜んでいると、とんでもない副作用があった。いわゆる金縛《かなしば》りである。目も見え、耳もよく聞こえるのだが、朝起きると体がしばらく動かない日が続いたという。げに恐ろしきは、韓国のガス弾である。

韓国の学生も火炎ビンを使うが、日本の中核派が使っているモロトフ・カクテルのような高等なものではない。安物の焼酎《しょうちゅう》の空ビンにガソリンやアルコールを詰め、脱脂綿でフタをし、それに火を点《つ》けて投げるという、ごくごく初歩的なもので、あまり燃え拡がることもない。

あるとき、私は成田・三里塚《さんりづか》で熟知したモロトフ・カクテルの作り方を教えてやろうかと思ったが、この国でそーゆーことをするとシャレにならんのでやめた。ヘタすると銃殺である。

一方、一般市民はというと、これもまた、すっかりデモ慣れしている。たまに、運悪く通りかかった通行人が、のたうちまわっている程度である。ソウルの明洞《ミヨンドン》、大学路、光州の商店街などは、銃声が聞こえはじめると、すぐさまシャッターを閉めて、窓を閉め切ってしまう。そうすれば、投石でショー・ウインドウが割られることもない。

もう我慢できない

さて、光州である。通りを逃げ惑《まど》う民衆を見て、私は暴動が近いことを感じた。ところが、どうも体の具合がおかしい。腹が急にゴロゴロしてきた。緊張しまくっていたので、初めのうちはそんなに気にはならなかった。

「なぁに、事が収まったら正露丸《せいろがん》でも飲もう」

そんな軽い気持ちでいたのである。ところが、にわかに、とても我慢できないくらいに排便したくなってきた。まさに、そのときである。「バーン」という銃声が何発か聞こえたかと思うと、群衆がパニックになってドドッと走りだしたではないか。

光州に来ているカメラマンが私一人なら、何も問題はない。しかし、テレビも新聞も来ているのである。当日のテレビを、西川デスクも見るであろう。翌朝の新聞の写真は、花田編集長も見るであろう。そして「うちの特派員の宮嶋もこれと同じくらい、いやこれ以上の写真を撮っているにちがいない」と考えるであろう。

しかも、ここにはライバルのフォーカスのカメラマンも来ているのである。ほとんどのメディアが来ているのである。帰国して「いやあ腹が痛くなってホテルに帰っていて、撮れませんでした」なんて言い訳は絶対に通用しない。「アホ、クソを垂《た》れ流してでも撮ってこんかい」と言う西川デスクの顔が目に浮かぶようである。まだそのときは私の腹にも少しは余裕があった。冗談半分でそんなことを考えたりしていたが、よもや、もっとオソロシイことになるとは思ってもみなかったのであった。

私はケツとハラを押さえながら、群衆が必死に逃げ惑う姿を撮りつづけた。しかし、そのうちに、もう写真なんかどうでもいいくらいに排便の欲求が高まってきた。ゴロゴロ、ゴロキューという音までハッキリ聞こえてくる。

ハライタの原因を考える余裕もなかった。「とにかく出さなアカン！　トイレや、便所や！」と思ったが、公衆便所みたいに気の利《き》いたもんが、ここ光州にあるわけがない。

「そや、デパートかレストランか喫茶店や！　ここはメイン・ストリートや」

そう思い、目についたところならどこでもいい、入って用を足《た》そうと考えた。

ところがである。デモ慣れした光州の商店街は、銃声が聞こえた瞬間にはもうシャッターを降ろしているのであった。

「脇道に入ったら、まだ開いているところもあるかもしれん」

私は、藁《わら》にもすがる思いで脇道に入っていった。ところが、逃げ惑う群衆を恐れ、脇道の商店街もガラガラとシャッターを降ろしはじめているではないか。

「もう写真なんかどうでもええ、クソをさしてくれェ」と叫《さけ》ぶ私の目の前で、非情にもガラガラとシャッターは降りていくのであった。映画の『大脱走』で、苦労してトンネルを掘って脱走しようとして出口から頭を出してみると、すぐ近くにドイツ兵がいた、そんな気持ちである。

脂汗《あぶらあせ》が浮き、震えまできた。一歩進むたびにチビリそうである。目もかすんできた。そんなとき、まさにシャッターを降ろそうとしている喫茶店を見つけた。私は、転がるようにシャッターの隙間から飛び込んだ。

店のオッサンは「なんじゃ、コイツは？」という目で私を見る。

私は、息も絶え絶えに「カムサハムニダ」と言い「トイレ？　便所？」と尋ねた。

オッサンは、地下を指差す。私は、転げ落ちるように地下に降りていった。地下のフロアーは、客で満員であった。催涙《さいるい》ガスから逃げてきた群衆もずいぶんいたのであろう。ひきつりながら、ウェイターに「トイレ？」と尋ねる。指差された瞬間、私の体は勝手にその方向に向かっていた。もう限界だ。

「ううう……、漏《も》れる」

滝のような汗を流しながらトイレに向かう。

紙を持っているかどうかなんて、考える余裕はない。トイレに紙があろうがなかろうが、どうでもいいのである。人の前で排便をしたほうがいいか、便所の中で排便して手かパンツで拭《ふ》いたほうがいいか、答えは明白だからである。

ドドドッと便所に駆《か》け込み、ドアのノブに手をかける。

「よかった、空《あ》いてる！」

カメラ・バッグもカメラも肩にかけたまま、バタンと戸を閉め、鍵をかける。汚《きたな》い便所だという印象だったが、そんなのは関係ない。まもなく、もっと汚くなるのである。

カチグソとビチグソ

怒濤《どとう》のごとくベルトをはずし、ズボンを下ろそうとした、まさにその瞬間であった。便器をまたいでホッとしてしまったのだろうか？ピッと漏《も》れた。ちょっと漏れた。放屁《ほうひ》と同時にミまで出た——。最初はそういう印象だった。「アッ！ イカン！ ちょっと出してしもた！」くらいのものだった。

ところが、次の瞬間、信じられないことが起こった。次から次から便が漏れだし、自分の意志では止められなくなってしまったのである。念のため言っておくが、私はけっして、しまりが悪いほうではない。それなのに、数十秒間、なす術《すべ》もなく立ち竦《すく》むほかはなかった。私はズボンを下ろすことも忘れ、呆然《ぼうぜん》と便器をまたいだままであった。

まもなく、下半身全体にじわりと不快感が広がった。情けないのと、催涙ガスの影響とで、涙が出てきた。なんで海外に来て、こんな思いをせにゃならんのか。

あとからよくよく考えてみると、前日から排便をしていなかった。だから、肛門近くの便は、カチグソとなっていたにちがいない。その上から、カルビ屋の腐ったイカで荒《あ》れ狂ったビチグソが襲《おそ》いかかったのである。強固な堤《つつみ》も、アリの穴から崩《くず》れるという。カチグソの堤防に穴が開いたとたん、一気に圧力が高まって崩壊してしまったのだろう。したがって、単なる腐ったイカのゲリの分だけでなく、その下にあった昨日までのカチグソまでが一緒に噴出してしまったのであった。

それにしても、これが人間の出す便の量かと疑うくらいの量であった。われながら、驚くやら感心するやらであった。全部出きったのか、腹の痛みは収まってきた。頭も冷静になってきた。出てしもたもんはしょうがない。一時間も二時間も、便所で自分のクソにまみれたままでいるわけにもいかない。

とにかく店を出なくてはならない。それからどうするか？　ホテルに戻るか？　いや、ホテルに戻っているうちに、騒動が終わってしまう恐れもある。それはマズい。ここ光州には、対抗誌も来ているのである。やはり、クソを垂《た》れ流しながらでも、写真を撮らねばならない。不肖《ふしよう》、宮嶋、死んでもカメラは離しません。クソごときに負けてたまるか。

ありったけの根性を振《ふ》り絞《しぼ》って

わが排泄物は、もはや下半身すべてを覆《おお》い尽《つ》くしていた。ズボンを穿《は》いたままだったのが原因である。シャツやトレーナーにまで、異物がついてしまっているようであった。

パンツから溢《あふ》れたクソは、足を伝《つた》い、靴下を経て、靴の中にまで達していた。靴に入りきれなかった異物は、便所の床をも浸《ひた》しつづけていた。ズボンを下ろすのは怖かったが、恐る恐る下ろすことにした。もはや、救いようがない状態だった。とはいえ、ズボンごと捨てる場所はない。便器に流すと詰《つ》まってしまうだろう。何よりも、もったいない。このズボンはドイツで買ったお気に入りのものであった。それに、下半身裸で外に出るわけにもいかない。

カメラ・バッグの中に、ポケット・ティッシュが入っていることを思い出したが、そんなものは焼け石に水。ケツどころか、手を拭いて終わりであった。

そんなことをしている間にも、クソは下に流れていき、足元もクソだらけになってしまった。私のあとに便所に入った客は、さぞや悲惨であったろう。おそらく、出るものも引っ込んでしまったにちがいない。

私の頭にヤケクソという言葉が浮かんだ。さすがは宮嶋であった。冷静なジャーナリストは、このような窮地に立っても詩人であることを忘れないのであった。私は意を決した。

「よし、出るぞ！」

私は、ありったけの根性を振《ふ》り絞《しぼ》って、今脱いだズボンとパンツを、もう一度穿いた。そして満席の喫茶店の床に自らの足跡をつけながら、無表情に素早く外に出た。おそらく店の客は私が去ったあとで、催涙ガス以外の異臭にも悩まされたことだろう。

しかし、私に幸《さいわ》いしたことが一つだけあった。それは、街中に高密度の催涙ガスが充満していたことである。警官隊はもちろんガスマスクを装着している。私もした。マスタード・ガスさえ濾過《ろか》して、中和してしまうガスマスクである。私の異臭などまったく気にならないにちがいない。ただ、下半身のキモチ悪さは、いかんともしがたい。

逃げ惑う学生も、とても道路脇の異臭ふんぷんのカメラマンにまで気づかないことだろう。私は自らの排泄物にまみれながらも、逃げ惑う群衆、飛び交う火炎《か》ビン、白骨団《はっこつだん》の鉄パイプにリンチされる学生などの〝シブ〜い写真〟を撮りつづけたのであった。

それから約三時間後、騒乱は沈静化した。私はトボトボ歩いて、リバーサイド・ホテルに帰った。フロントに行き、キーをもらう。やはりホテルのロビーでは、はっきりと異様な服に見えた。それに何よりも臭かった。エレベーターで一緒だった共同通信の若い衆は、さぞ臭かったことだろう。ジロジロ見られた。部屋に入ると、バスルームに直行して全部脱いだ。カーペットにも足跡をつけてしまった。排泄物の被害は予想以上にひどかった。

取材は三日間なので、ズボンの着替えも靴の予備もない。この二つは一晩で洗うしかない。バスタブに湯をはり、体中、異物だらけになって、体と服の排泄物をとった。湯の中に排泄物が浮く。焼きとうもろこし、キムチや緑の菜っ葉など、カルビ屋で食《く》ったものが、色鮮やかにそのまま混じっていた。あのバアサマのイカが腐っていたのは間違いなさそうである。

深夜までかかってなんとか臭いも落とし、ズボンも靴も洗った。パンツ、靴下、Tシャツは紙袋に入れて、ホテルの前のゴミ箱に捨てた。ただ、ズボンはこのままでは気色悪いので、洗濯とプレスをしてもらうことにした。部屋に洗濯係を呼びつけ、チップを摑《つか》ませて頼んだ。翌朝、ズボンはきれいになって戻ってきた。

イカだけは食《く》わぬ

私は、きれいになったズボンを穿き、帰国のためホテルを出発した。ほかのカメラマンたちも、ほとんどが同じ日に光州を発《た》つということであった。

しかし、私にはまだ不満が残っていた。夜の写真はなんとか撮ったけれど、昼間の〝シブ〜い写真〟が撮れていないのだ。そこで、飛行機の時間まで余裕があるので、タクシーに乗り、全南《チョンナン》大学に寄ってもらうことにした。

まったく、私はこういうことには鼻が利《き》く。私が全南大学に着くと、ソウルからの列車に乗ってきた大学生が非常ブレーキで列車を止め、まさに全南大学構内に突入しようとしていた。思わずやったと膝《ひざ》を叩《たた》いてしまった。ほかの日本のカメラマンは、誰も来ていないようであった。

学生側がかなり攻勢で、機動隊はタジタジであった。

韓国の学生は、特に投石にすぐれている。かなり大きな石を、コントロールよく投げ

宮嶋はニュース・グルーピーである。騒動は大きいほうがよい。それでも若者の血が韓国国民に何かよい結果をもたらすことを祈る。（光州・全南《チヨンナン》大学にて）

る。直撃を食らうと、ヘルメットの上からでももちろん気絶する。たまたま取材中のアメリカ人カメラマンは腕に直撃を受け、骨折した。それに対して、機動隊は防弾、防火服にスネあて、ヒジあてを着けている。まるで『巨人の星』の大リーグ・ボール養成ギブスを着けているみたいで、遠くまで石を投げ返せない。

かくして私は、ほかを圧倒して昼間の〝シブ～い写真〟を撮った。飛行機の時間ギリギリまで取材し、予定どおり帰国した。

光州では、一生に残る恥をかいてしまった。だが、写真はとてもよいものが撮れたと勝手に思っている。

ところで、カルビ屋で一緒に食事をしたYカメラマンとほか一名のその後である。さぞかし、二人とも大変な目に遭《あ》ったのだろうと思い、あとで聞いてみた。ところが不思議なことに、二人とも、なーんともなかったというではないか。やはり、天才である。

私はデリケートなのだ。

それ以来、誰が何を言おうと、イカだけは食わぬことにしている。

3

ハマコーの刺青《いれずみ》

――スクープ料一〇〇〇万円獲得作戦

ソープ三〇〇回

この宮嶋、今でこそ八〇〇万円のベンツを乗り回す身の上であるが、駆出《かけだ》しのころはホントに貧しかった。しかし、そのころからカネに対する執着……、もとい、金銭を得ようとする熱意だけは強かったのである。

フライデー創刊の半年前のことである。編集部では、専属カメラマンのミーティングが行なわれていた。たまたまそこに出席した寺島《てらしま》次長（後の二代目編集長）が、次のような発言をした。

「みんな、ハマコーは知ってるだろう」

当時は、今の、ニコニコしたテレビ・タレントの浜田幸一《はまだこういち》ではなかった。コワモテ現役バリバリの衆議院議員だったころの話である。私はフムフムとうなずいた。

「ハマコーは、ゴルフに行っても上着をとらないらしい。もちろん、サウナにも入らない。とにかく人前で裸にならないんだ。シャツ姿にもならない。刺青《いれずみ》があるからだ。それも、背中一面にびっしり、肩まであるそうだ。これは確かな情報だ。実際に見た人もいる」

得意気に寺島次長は続けた。

「どうだ、ハマコーの刺青を撮ったヤツに一〇〇〇万円出そう」

今になって思うに、寺島次長は、おそらく「一〇〇〇万円くらいの価値がある写真だ。創刊号の目玉にもなる」という意味でそんなことを言ったのかもしれない。だが、欲の皮のつっぱった私には「スクープを撮れば、ただちに一〇〇〇万円払う」としか聞こえなかったのであった。

とはいえ、その刺青を撮る方法やアドバイスなどは、いっさいなかった。「どうせ、そんなもん、おまえらには撮れんだろう」と思われていたにちがいない。

ほかのカメラマンは？　と見ると「フーン、一〇〇〇万円ねえ」と、まるで興味なさそうであった。しかし、私は違った。

当時から、向上心のカタマリの宮嶋であった。頭の中では「一〇〇〇万円、一〇〇〇万円、一〇〇〇万円……」と、一〇〇〇万円の札束が乱舞していた。

「一〇〇〇万円かァ。一〇〇〇万円あったら、ソープに三〇〇回行けるやんけ」

これは、もらうしかない。私は深く決意した。そして私のスルドイ頭脳はすぐに、作戦を考えはじめるのであった。

ハマコーの自宅の浴室にカメラをしかけるか？　女をかませて、服を脱いだところを部屋に雪崩《なだれ》込むか？　主治医がいるなら、そこの看護婦をたらしこむか？

いずれもスルドイ作戦である。ただし、問題はバレたら後ろに手がまわりかねない方法ばかりであった。

仕事が忙しくなっていっても、一〇〇〇万円のことは忘れなかった。私はつねに何かいい方法はないかを考えつづけていた。

金権・千葉三区

ハマコーの選挙区は、名うての金権区、千葉三区であった。君津《きみつ》、富津《ふっつ》、木更津《きさらづ》という「津」がつく三つの市が中心であった。このあたりでは、東京湾横断道路やら湾岸開発やら、さまざまな利権がドロドロと渦《うず》巻《ま》いていた。

ハマコー自身の生《お》い立ちについては、ハマコーの著書『日本をダメにした九人の政治家』（講談社刊）に詳しく載《の》っている。そこには、稲川会の石井会長の下で、極道らしきことをやっていたことや、傷害事件で実刑をくらったことなど、隠さずに書いている。以前から、そういった話は通り相場になっていた。だが、自著に堂々と書いた。

私は、ハマコーのこういう男らしいところが好きである。今の政界は、暗闇の中でモゾモゾと蠢《うごめ》いているような連中ばかりだ。中には、こういうメチャクチャな男がいてもいいだろう。それに、ハマコーの田舎クサイところも、私は好きである。別に、刺青があろうがなかろうが、どうでもいいではないか。

おそらく、昔ヤクザでムショに入っていた。それで、刺青説が急浮上してきたにちがいない。寺島次長は「実際に見た人もいる」と言っていたが、いったいぜんたい、どこからそんな情報が出てきたのであろう。

フライデー創刊を間近に控《ひか》えた夏休み、時間のできた私は、千葉まで情報収集に出かけた。

ポンコツ車で千葉に向かう。車は、大学四年生のときに、寮の友人から一五万円で買ったニッサン・ヴァイオレットである。もっとも、買ったときはポンコツではなかった。友人は大切に乗っていたのである。ところが、車を手に入れてうれしくなった私が、寮の周りを一周しようと思ったのがウンのつきであった。譲《ゆず》り受けてから五分後に、私の車はダンプに勝手に接触して、ボコボコになってしまったのである。

もちろん、エアコンはない。私は、クーラーとかエアコンといった類《たぐい》には、あまり縁がない。答えは簡単、カネがないからである。とはいっても、カメラやライフルならば、一〇万や二〇万のカネは高いとは思わない。それがクーラーとなると、もったいなくなるのだ。結婚中もそうであった。妻が「クーラー買おうよ」と言っても「うるさい、そんな高いもん買えるか」と、突っぱねていたものであった。

ともかく、私はポンコツ車の窓を全開にして、夜の首都高から京葉道路《けいよう》へとドライブをした。自主的な〈取材〉ということで、もちろん編集部からはビタ一文も出ない。かえって気が楽である。

私は、東京湾から吹く夜風を浴《あ》びながら、ひたすら千葉三区を目指した。当時は京葉道路が全通していなかったので、途中から一般道を走った。車窓に映るのは、いかにも利権が絡《から》んでいそうな、見るからに怪《あや》しげな町ばかりである。四、五時間もかかっただろうか、ようやく、富津に着いた。といっても、行くあてがないので、とりあえず眠ることにした。暴走族が集まりそうな海辺の公園に行き、ヤブ蚊に襲《おそ》われながら仮眠した。

翌朝、ヤブ蚊に食《く》われたところをボリボリ掻《か》きながら、新聞社の支局に行った。支局といっても、ほとんどが通信員の自宅である。そこでいろいろな話を聞くが、これといって目新しい情報はない。

その後、私は深く静かに富津に潜行した。もっぱら、ハマコーの事務所や自宅、後援会の事務所のあたりをウロウロしていた。それにしても、雲を摑《つか》むような話である。いくら、こんなところで歩き回っていても、ハマコーが刺青をしているかどうかなんてわかるわけがない。

そもそも、ここはハマコーの縄張《なわば》りである。ハマコーにとって致命的な情報を、ペラペラしゃべる人間がそう簡単にいるわけがない。それどころか、そんなことをコソコソ嗅《か》ぎ回っているうちに、とっ捕《つか》まる恐れだってある。捕まったら、スマキにされて、木更津港あたりにプカーと浮かぶのであろう。さすがの私も困った。

困りきってハマコーの自宅付近を歩いているうちに、目に入ったのが一軒の駐在所である。「よし、ここで道を聞くふりをして、話を聞いてみよ」

重要な情報

私は、駐在所のドアを開けた。誰もいない。

「すみませーん」

と大声で呼ぶと、奥の自宅のほうから、駐在さんらしき人がドタドタと現われた。慌《あわ》てて出てきたらしく、ステテコの上にそのまま制服を羽織《はお》っている。

「何ですかァ？」

「あ、ちょっとお尋ねしますが、衆議院議員の浜田幸一さんの家はどちらですか？」

しらじらしく、私は尋ねた。

「あ、それならね、ああ行って、こう行って、こう。そんなこと、この辺の人はみーんな知ってるよ」

「いやー、そうですか。しかし暑いですなァ。私は東京からわざわざ来たんですよ」

田舎の人は「東京からわざわざ……」という言葉に弱いものである。

「へえー、こっちは暑いでしょ。ところで、わざわざ東京から浜田さんのところへ……。親戚の人か何かで？」

そんな会話から始まって、駐在所の縁側でいろいろなことを話した。

話がはずんだところで、それとなく探《さぐ》りを入れてみることにした。

「ところで、噂によると、浜田さんの背中には、一面、立派な刺青があるそうですなァ」

駐在さんは、びっくりしたような様子だった。

「へえ？ そんなこと、見たことも聞いたこともないですなァ」

「そうですかァ？ 東京では知らない人はいないですよ」

と、私は口から出まかせを言った。

「うんにゃあ、そんなことはない。私は浜田さんの裸を見たことがあるが、そんなもの、見たことがない」

思わず、私は耳を疑った。

「ほ、ほ、ほんまでっか？　それはいったいどこでっか？　銭湯でっか？」

「いやァ、私は三年ほど前からここにいますが、正月の初詣《はつもうで》の警備に行ったときに、たしかに見た」

「それは私もぜひ見たい。詳しく教えてください」

思いがけない収穫であった。駐在さんの話はこうである。

ハマコーは、毎年大晦日《おおみそか》の夜十二時近くなると、上半身裸で自宅を出る。そして、走って隣の君津市の人見《ひとみ》神社まで行き、初詣をするというのである。もっとも、ここ二、三年は寄る年波なのだろう、家から裸で走ることはないらしい。神社がある山の麓《ふもと》までは車で行き、そこで服を脱ぐということだ。ちなみに、ハマコーの自宅から神社の麓までは、車で一五分くらいの距離である。神社では、支持者とともに新年を祝うそうだ。そして、裸のまま麓まで戻り、車に乗って自宅に帰るとのことであった。

その駐在さんは「刺青などない」と断言する。どうも、警官がそんなウソをつくとも思えない。ハマコーの刺青の話はマユッバではないのか、だんだんと私はそんな気がしてきた。

重要な情報を手に入れたところで、とりあえず東京に帰ることにした。

一〇〇〇万から一〇〇万に〝大暴落〟

フライデー編集部に戻ると、この一部始終をTさんに話した。この人は、私の大学のゼミの五年先輩で、フライデー創刊にともなって写真部から異動してきた。石頭で、すぐに怒りだすので〝ボイラー〟と呼ばれていた。

Tさんは、私の話を聞きおわると、

「フーム、まだまだ先の話だな。創刊して、年末が来たらまた行ってくれ」

と、きわめて冷静に答えた。

やがて、夏が過ぎ、創刊の時が迫《せま》ってきた。フライデーは、準備期間をたっぷりととり、さまざまなネタを用意していた。投資ジャーナル事件の中江滋樹《なかえしげき》と倉田まり子とか、三島由紀夫の生首写真とか、飛込みの女子選手のオッパイ写真とかがあったらしい。しかし、そのほとんどは、一カメラマンごときには知らされなかった。

専属カメラマンのミーティングが開かれ、またまた寺島次長が出席した。

「創刊までもう少しだ、時間があるうちに、今かかっているむずかしい仕事を片付けよう」

そんなことを言ったあとで、またハマコーの刺青の話が出た。

「どうだ、まだ、ハマコーの刺青、撮ってみようというヤツはいないか？　一〇〇〇万円出すぞ」

あれ？　私は首をひねった。たしか、数ヵ月前は「一〇〇〇万円やる」という話ではなかったか。この宮嶋、女の年齢は忘れてもカネについては忘れない。

ミーティングのあとで、早速、そばにいたカメラマンに聞いてみた。

「藤内《とうない》さん、以前、たしか寺島さんは『ハマコーの刺青撮ったヤツには一〇〇〇万やる』と言うてなかったですかねえ？」

「さあ、そんなの覚えてねえな。今日の話じゃ、一〇〇万ってことじゃねえか」

ほかのカメラマンに聞いても、答えは似たりよったりである。あまり興味を持っていないか、寺島次長の冗談と思っているかのどちらかであった。

私は、がっくりきた。一〇〇〇万円と一〇〇万円じゃ、大違いである。まあ、それでも一〇〇万くれればいい。問題は、刺青がなかったときである。そのときのオトシマエはどうつけてくれるのだろうか。刺青がないから、カネは払えんと言うのであろうか？　刺青がなくとも、証拠の裸を撮ってきたというので、約束のカネをくれるのであろうか？

そもそも、カメラマンというのは猟犬のようなものである。カネで釣られて、目の前の獲物を追っかける。それなのに、命令された獲物を仕留《しと》めてみたら、やっぱり違っていたからカネは払わんというのでは、まことに困る。

因果な商売

しばらくして、いよいよフライデーが創刊された。創刊以来、フライデーは驚異的な売上げを記録する。当時、専属カメラマンの収入には、週給と拘束料のほかに、写真一枚掲載されるごとに三万円という歩合給があった。専属カメラマンは使い回せば回すほど、安くあがるのだ。おかげで、張込み、潜入など、みんな寝るヒマもないほど忙しかった。車も運転しなければならないので、おちおち酒を飲んでいるわけにもいかない。そんなわけで、年末までハマコーどころの騒ぎではなかったのだが、いよいよ来た。大晦日《おおみそか》である。

フライデーの年末年始は合併号である。といっても、たいした内容ではない。紅白歌合戦とか、有名人の初詣《はつもうで》といったノー天気な記事ばかりである。日によっては、〈休日当番〉といって、何も仕事がなくても、編集部に詰《つ》めているだけで日当がもらえることがあった。

大晦日、私は、いそいそとポンコツ車を駆《か》って千葉に向かった。カネ回りがよくなったというのに、相変わらずのニッサン・ヴァイオレットである。ただ、夏と違って、冬はちゃんと暖房が入った。

大晦日の千葉は猛烈に寒かった。はたして、こんな寒さの中、ええ年したハマコーが本当に裸で走り回るのだろうか。夏にこの話を聞いたときはピンとこなかったが、真冬の千葉に来てみると、どうもにわかには信じられなかった。

私は、人見《ひとみ》神社の上り口の脇に車を停《と》めた。ここなら、ハマコーを見失うことはない。ハマコーの自宅から神社までは、一本道である。車に乗ってこようが、何に乗ってこようが、必ずここを通る。時間が来るまで、ここで張ることにした。

当時は、携帯テレビなどない時代である。AMラジオで紅白歌合戦を聞きながら、千葉三区の純朴な住民たちが初詣に出かける姿を眺《なが》めていた。

夜も更《ふ》けてきたというのに、けっこう子ども連れの家族が多い。こういう田舎では、盆や正月は、いまだに大きな意味を持つ行事なのだろう。どこから湧《わ》いてくるのか、ゾロゾロと人びとが神社に向かう。

そういえば、私にとってもお正月はお正月である。私は、まっとうな仕事をしているとはいえないまでも、社会人にはちがいない。しかも、社会人になって初めての正月ではないか。この仕事が無事に済んだら、明石《あかし》の両親に「明けましておめでとう」と電話をしてやろう。父は寝ていることだろう。母はテレビを見ているかもしれない。

だいたい、カメラマンというのは因果な商売だ。普通の人がのんびりする時期が、かき入れ時なのである。年末年始は特別イベントも多いし、とても休んでいるヒマなどない。

それにしても、まさかこれ以降、正月に日本にいることすら珍《めずら》しくなるだろうとは、想像だにしなかった。ルーマニア、中東、カンボジア、モザンビークと、妙なところで正月を迎えることになる。だが、これを楽しめないようでは、カメラマンになる資格はない。

盆と正月くらいゆっくりしたいなんぞと言っているヤカラには、カメラマンは務まらない。やれ誕生日だ、やれクリスマスだと、何かあるとすぐ女と過ごしたがるヤカラは、カタギの安月給サラリーマンになればいいのである。

カンボジアで乞食《こじき》をすることもあれば、カタギの人が一生かかっても味わえない贅沢《ぜいたく》な経験もできる――こういうバクチのような人生を楽しめる者こそが、カメラマンに向いているのである。どうせ畳の上では死ねないと割り切ってしまえば、一人ぼっちの大晦日の張込みなど、屁でもないのである。

裸参り

午後十一時過ぎ。昭和五十九年も、残りわずかというときであった。白いクラウン（だったと思う）が、人見神社の上り口に停まった。来た！　ハマコーだ。

ハマコーは、車から降りるなり「寒いなァー」と一言つぶやく。

私は、すかさずカメラを引っ摑《つか》んで、車を降りた。カメラは、なるべくアマチュアっぽいものを持ってきてある。旧型の一眼レフに小型ストロボだけである。これなら、ハマコーに警戒心を抱かれることはないだろう。万が一とっ捕《つか》まっても、なんとか言い逃れできるだろうという計算である。

ハマコーは上着をパッと脱ぐと、その上着を車の後部座席に放り込んだ。すると、なんと、おおー、裸である。そして、刺青《いれずみ》は……、と目を凝《こ》らすが、ない。見えない。でも、薄い色で刺青をしているかもしれない。

「もっとよく見なければ……」

私は、抜き足差し足でハマコーに近づこうとした。と、ハマコーは「寒いなぁー」と言いながら、いきなり走り出した。そのあとに、秘書らしき人や事務所の若い衆が、三、四人続いた。若い衆は、人相があまりよろしくない。体もごつくて、大学の柔道部のような雰囲気であった。若く見えるが、どれも怖そうである。よく見ると、彼らはみな〈日本大学〉と書かれたジャンパーを着ている。これが本当ならば、私の後輩ではないか。

当のハマコーは……、と見ると、白いサラシをキリリと腹に巻き、白いズボンに運動靴という出立《いでた》ち。そんな姿に、初詣の人たちからも声援が送られる。

「センセー、寒いねェー、元気だねェー」

沿道の声に、ハマコーはいちいち答えている。

私は、そんな姿をしばし眺めていた。しかし、いつまでもボーッとしているわけにもいかない。とにかく写真を撮らねばならぬ。私はカメラを片手に、小走りでハマコーの一団に近づいていった。そして、何気ないふりをして彼らを追い抜き、神社の石段を一気に駆け上がっていった。

「フーム、この辺で写してやろう」

私はいいアングルのところで足を止め、ハマコーの一団を待ち伏せすることにした。下から、ゼエゼエ言いながらハマコーが上ってくる。

「寒いねェー、ああ疲れた」

そんなハマコーに向けて、私は挨拶もなしに、いきなりシャッターを押した。ハマコーの目の前でストロボが光った。

「なんだァ？　オマエは？」

ハマコーが、例のドラ猫のような声で凄《すご》む。おっかないが、ここまで来て怯《ひる》むわけにもいかない。たてつづけに二、三枚撮った。

「オマエ、どこの者だ？　誰に頼まれた？」

上半身裸、サラシ姿のハマコーが迫《せま》ってくる。その迫力に、私は思わずウソをついてしまった。

「私は日大の学生です……。親戚の家に、たまたま遊びに来てるんです……」

こんなことを言ったような気がする。さっき〈日本大学〉のジャンパーを着ている人を見たので、そんな言葉が口をついて出てきたのだ。現に、数ヵ月前までは本当に学生だったし、それ以後正式に就職していないので、まったくのデタラメというわけでもない。

そもそも、正式に取材を申し込んで写していれば、こんな怖い目に遭《あ》うこともなかった。また、こんなウソをつかなくてもよかった。ところが、こちらとしては、ハナから刺青があると信じていた。だから、正面きって取材を申し込んでも断わられるだけだと思い込んでいたのだ。ましてや、刺青を写されるのがいやさに、裸参りを中止にされては、元も子もない。

そんないきさつがあったので、結果的にハマコーを騙《だま》すことになってしまった。ハマコーさん本当にゴメンナサイ。時効だから許してネ。

もともと刺青なんかなかったので、正面きって取材を申し込んだら、きっと快《こころよ》く受けてくれていただろう。いや万が一、刺青があったところで、男ハマコー、逃げも隠れもしなかったにちがいない。

ハマコーのお年玉

ともかく、その場はそれで収まった。ハマコーは、ゼエゼエ言いながら、さらに階段を駆け上がっていく。神社には、初詣客やハマコーの支持者が、すでにたくさん集まってい

宮嶋はハマコーが好きである。暴言を吐いてもよい。乱闘してもよい。博打をしてもよい。奇麗事しか言わぬ政治家より信用できる。

た。

やがて十二時になった。すると、ハマコーは、誰彼《だれかれ》かまわず「おめでとう、おめでとう」を連発する。まだ裸である。走っていたときはそう感じなかったが、立ったままだと猛烈に寒い。服を着ている私でさえ、たまらないほどの寒さだった。

ハマコーは、支持者と一通り握手をしおえたかと思うと、突然、大声で叫《さけ》んだ。

「お年玉だぞォー」

秘書らしき人が、段ボール箱を持って現われた。「おお、堂々と現金をバラ撒《ま》くのか？　さすがは金権選挙区だ」と私が感心していると、さにあらず。段ボール箱の中身は、鉛筆とノートだった。

待ち構えていたように、ビンボーたらしくて意地汚《いじきたな》そうなガキが、ワァーと集まってきた。ハマコー先生は、一人当たり鉛筆二本とノート一冊を配る。あれならバッタ屋で買えば、全部合わせても一万円くらいのものであろう。

「いい子にしかあげないぞォ。おまえ、本当にいい子か？　悪い子にはやらんぞォ。……アッ、おまえ、二回目じゃないか！」

なんぞと言いながら、明らかに選挙権のなさそうなガキばかり相手にしている。アッと

いうまに、〝お年玉〟はなくなった。すると、

「もうなくなったぞォ」

そう言って、ハマコーは、颯爽《さっそう》と引き上げていくのであった。

私も、とぼとぼと自分の車へ戻っていった。

帰りの車の中で、私は思いを巡《めぐ》らした。

――やっぱり刺青はなかった。でも、証拠の裸は撮れた。しかも、けっこう迫力のある写真である。一〇〇万円はもらえるだろうか？

それだけが心配の種である。

東京に着く前に、明石の親に年始の電話をした。もう寝ていたようだ。

「こんな時間まで何しとるねん？」

「仕事や」

「カメラマンちゅうのは大変やのう」

「まあ、とりあえず、明けましておめでと」

結局、この写真で私が受け取ったのは一〇万円であった。一〇〇〇万円が一〇〇万円になり、ついには一〇万円に成り下がってしまった。雑誌掲載の歩合給は一枚三万円なの

で、それにスクープ扱いのボーナスが加算されたわけである。はたして、これは高いのか、それとも安いのか……。

スパイ

この話には後日談がある。

数年後、週刊文春に移った私に、ハマコーを追う仕事が回ってきた。ハマコーが、共産党の宮本委員長（当時）に対する「ヒトゴロシ」発言で、予算委員長を辞任した直後である。ところが、ハマコーの事務所に行っても永田町に行っても、本人が捕《つか》まらない。そこで、佐藤明《あきら》カメラマンとともに、千葉まで探しにいったのだが、結局それもムダ骨に終わってしまった。

そして、千葉からの帰路、君津市を出たところのガソリン・スタンドに立ち寄ったときのことである。

私と佐藤カメラマンは、スタンドの中にぶらぶらと入っていった。すると、スタンドの壁に、どこかで見たような写真が、立派な額に入れられて飾ってある。

「ああーッ」

私は、大きな声を上げそうになった。その写真は、紛《まぎ》れもなく、私が写した「ハマコーの裸参り」の写真である。フライデーに載《の》った写真を、拡大コピーしたものらしい。思わず、近くにいたオッサンに尋ねた。

「これ、この写真、どうしたんですか？」

白髪混じりのそのオッサンは言った。

「どうしたって言われても……、それよりアンタたちこそナニ？」

そりゃそうだ。ただ、雑誌をコピーして飾っているだけである。そんなことに驚くヤツのほうこそおかしい。私は、冷静を装《よそお》って答えた。

「私らは、通りがかりの者ですけど……」

「ふーん。この写真か？　この写真に写っているのはオレだ！」

「えええーっ」

私は、佐藤カメラマンと顔を見合わせた。よく見ると、たしかにハマコーの左側にこのオッサンが写っているではないか。

オッサンは、こちらが聞きもしないのに、しみじみと語り出した。

「オレは浜田先生の後援会に入っていてね。昔から、浜田先生と正月に裸参りやってんだよ。このときはねぇ、たしか若いカメラマンがやって来てね、いきなり撮られたもんだから、浜田先生が『どこの者だ?』って聞いたんだ。そうしたら、その若いカメラマンが『日大の学生だ』って言うんで、そのときはフーンと思っていたんだよ。そうしたら、このの写真がフライデーに出たじゃないか。まあ、その若いカメラマンは、このフライデーのスパイみたいなもんだったのかねぇ」

なんてことを、年寄りのくせに、妙に正確に覚えていた。

事件が起きたのはそのときであった。佐藤カメラマンは、とっちゃんボーヤみたいなオッサンで、ふだんはおとなしいのだが、酒が入るとプッツンする。このときはシラフだったハズだが、突然プッツンしてしまったのだ。オッサンに向けて、やおらこう言うではないか。

「あっ、そのアホなカメラマンはコイツです。ご主人、コイツと一緒に記念写真撮りませんか?」

「あ、わわわ。やめてくださいよ。何でもありません。帰ります。帰ります。それじゃ……」

私は、佐藤カメラマンを引っ張って、逃げるように東京に帰ったのであった。

4

ここは地獄の三里塚《さんりづか》

——成田闘争の取材で初体験した市街戦の恐怖

あこがれの三里塚《さんりづか》

不肖《ふしょう》・宮嶋、ついに三里塚《さんりづか》の地に立つ。

昭和六十年十月二十日、日曜日のことである。

私の世代は、成田闘争というものをほとんど知らない。空港建設をめぐる運輸省、空港公団と地元農民との戦いに、中核派などの極左集団が加わるにつれて、泥沼の様相を呈《てい》してきた……。まあ、こんな程度の知識しかない。私が覚えていることといえば、反対派と機動隊との衝突をテレビで見て、子ども心に「シブイなぁ」と思ったことくらいである。もっともAP通信の三上さんが撮った写真は、強く印象に残っている。反対派の人が火ダルマになっているところを写したものだ。この写真は、ハーグ国際報道写真展でグランプリを獲《と》っている。

ただ、出版社の編集部の中には、実際に成田闘争を経験してきた人がずいぶんといる。そのとき私が属していた写真週刊誌のフライデー編集部にも、現地で火炎ビンを投げまくっていた人がいた。その成田・三里塚に、私はやって来たのである。心の奥底から感動に浸《ひた》っていた。だが、このあとにトンデモない事態が控《ひか》えているとは、神ならぬ身、知る由《よし》もなかったのである。

一週間前、十月十三日の日曜日のことである。成田では熱田《あつた》派の空港反対集会があった。空港反対派には、熱田派のほかに北原派や小川派というのがある。この中では、熱田派は少数で、比較的穏健《おんけん》な集団である。運輸省との対話に、真っ先に臨《のぞ》んだことでも、そのことは知られていると思う。だが、この穏健であるはずの熱田派の集会が、荒《あ》れたのである。六〇人ほどが公務執行妨害で逮捕されたという。ひとくちに六〇人というが、これは大変な数である。

私は、テレビのニュースでこの様子を見ていた。雨でドロドロになった田んぼの中で、反対派と機動隊とが、取っ組み合っている。全身泥だらけになるやら、田んぼに顔を突っ込まれるやらで、けっこうハデでコワイ絵であった。

ところが、翌週の日曜日、つまり二十日には、さらに過激な北原派の集会があるというではないか。北原派の集会ともなれば、規模もデカい。しかも、あの中核が来るというではないか。

「これは、間違いなく荒れる」

私の戦士としてのシブいカンが告《つ》げた。

私は当時、フライデーの専属カメラマンであった。専属カメラマンは、何でも撮らされる。特に、張込みでは、ずいぶんこき使われた。フリーのカメラマンと違い、いくら動かしても同じギャラだからである。こんな状態だから、ものを考えていては、バカらしくて務まらない。とにかく言われたことをやっていればいい——そんな雰囲気が、当初からフライデー編集部にあった。だから、専属カメラマンがネタと情報を持っていって「この取材に行かせてください」というケースは稀《まれ》であった。

しかも、フライデーは、芸能スキャンダル路線で売上げを伸ばしてきた雑誌である。そのおかげで、創刊まもなくにして一〇〇万部を突破するわ、アッというまに先行誌のフォーカスを抜くわという超オバケ雑誌になったのである。成田闘争などというジミな題材は、あまり重要視されていなかった。おまけに、私は学校を出てまもないペーペーの専属カメラマンである。しかし、私はツカツカとTデスクのもとへ行くと、言った。

「成田へ行かせてください」

「おまえ、その日、空《あ》いてるのか？」

デスクは、興味なさそうに尋ねてきた。

「ええ、幸《さいわ》いに、今のところ空いてます」

「本当に面白くなりそうなのか？」

「へえ、そういうふうに言われてます」

「本当か？」

相変わらず興味はなかったようだが、こんなぺーぺーにもちょっとは理解を示したらしく、

「そしたら、まあ、ちょっと行ってこいや」と言ってくれた。

あとで聞いたところによると、このTデスクは学生時代に社学同に属していて、火炎ビンを投げていたという。恐ろしい話である。

Tデスクは、ポーンとレンタカーのキーを投げてよこした。取材はレンタカーで行ってこいという意味である。これが、あとあとトンデモない結果をもたらすとは、このときの私は知る由もなかった。

ちなみにフライデーでは、初めからレンタカーを利用していたわけではない。昭和五十九年の創刊前のダミー版のころは、立ちんぼで張込みをやっていた。さすがに、これじゃアカンというわけで、すぐに自家用車になった。ところが、自家用車では目立つからとレンタカーになったのである。さらには、張込み専用のハリコミ車（ハリ車と呼ばれた）も現われた。

フライデー創刊でレンタカーが多用されると、講談社のすぐ近くにあったトヨタ・レンタカー音羽《おとわ》店は特需に沸《わ》いた。そのうえ、同じ音羽にある光文社から、やはり写真週刊誌のFLASH《フラッシュ》が創刊されると、驚異的に売上げが伸びたらしい。音羽店の店長は、まもなくどこかへ栄転していったという。

Tデスクから投げられたキーは、そのトヨタ・レンタカー音羽店の車のキーであった。

バスガイド無惨

さて、三里塚行きは二十日の日曜日である。その前日、十九日は、桑名正博《くわなまさひろ》という歌手の張込みであった。ロック歌手らしいが、私はよく知らない。

早朝から、麻布《あざぶ》で張込みに入った。同行したK記者は、やはりトヨタ・レンタカーのカローラに乗ってきた。

桑名は凶暴だという話だったので、細心の注意を払って撮影に臨《のぞ》んだ。張込みは深夜まで及んだが、なんとかモノにすることができた。写真をプリントしたころには、とっくに外は明るくなっていた。K記者に写真を渡して、一件落着である。

しかし、ひと仕事終わってホッとするヒマもない。成田で予定されている集会は、正午からである。私にとって自らの企画の初取材だ。ちょっと早い気もするが、早速、出発することにした。

「備《そな》えあれば憂《うれ》いなし」は、当時から宮嶋のモットーである。

デモが荒れたときの用意はしておいた。東急ハンズで買ったヘルメットと防塵《ぼうじん》用のフード（ゴーグル）だ。ヘルメットについては、テレビで見たカメラマンの格好を参考にした。色は緑色。なぜかというと、緑色のヘルメットを被《かぶ》っているセクトはなかったからである。ちなみに、中核は白、革マルは白ヘルに赤テープである。ただ、残念ながら、テレビで見たような顔面フード付きのヘルメットは売っていなかった。フードのほうは、何の気なしに買ったのだが、これが大正解であったことはあとで知る。

Tデスクから預かったキーは、トヨタ・ビスタのものであった。一〇〇〇キロも走っていないという、ほとんど新車である。シートには、まだビニールがかかっていた。後部座席に荷物と機材を放り込み、いざ出発である。

日曜日の早朝ということもあって、首都高、京葉《けいよう》道路とも、ガラガラであった。富里《とみさと》のパーキング・エリアが見えてきたところで、前夜から何も食《く》っていないことに気がついた。まだ、時間はある。何か腹に入れておこうと、車をパーキング・エリアに向けた。

早朝の富里パーキング・エリアで私が目にしたのは、それはそれは異様な光景であった。

日曜の朝にもかかわらず、なぜか大型観光バスやレンタカーのマイクロバスが、駐車場に並んでいる。しかも、どの車の窓も、黒いビニールで覆《おお》われているのだ。

そんな中からぞろぞろ降りてくる乗客といえば、小学生みたいに揃《そろ》いも揃ってチューリップ・ハット（チューリップの花をさかさまにしたような帽子）を被《かぶ》り、ダイエーやキオスクで一個一〇〇〇円で売っているような安っぽいサングラスをかけ、マスクや白いタオルで覆面をしているのばかり。

「な、な、なんや、こいつら」

私は、ビビッた。

これが、極左の学生や労働者なのであった。

私は、右翼というものはよく知っていた。赤尾敏《あかおびん》の撮影を通して、だいたい右翼の行動や考え方はわかっているつもりである。ところが、ここにいるのは、同じ反体制でもまったく毛色の違う人たちである。

じつに、不気味で恐ろしい雰囲気を醸《かも》し出している。「あのぉ、すいません、アンタたちはいったい何ですか？」なんて、とてもではないが、声をかけることなどできない雰囲気なのである。

「こ、こ、これが左翼の人たちというものであろうか」

まだ学校を卒業したばかりの私は、ただただビビリまくっていたのであった。

とにかく、腹が減ってはどうしようもない。立食いソバ屋に入った。もちろん、そこにも異様な風体《ふうてい》の人たちがたくさんいた。

そんな人たちも、食べるときには、マスクをはずす。当たり前である。マスクをはずして「きつねうどん一つ」などと注文して、ズルズルとうどんをすすっている中核のオッサンがいる。

それにしても、彼らは、どうやってバスをチャーターしたのだろう。まさか、中核とか革労協とかいう名前で予約したわけでもないだろう。バス会社は、どこかの会社の労働組合と思ってバスを貸し出したにちがいない。何も知らずにバスに乗り組んだ運転手やバスガイドは、たまったもんじゃなかろう——と、私は天玉そばをすすりながら同情した。

バスの中では、どのようなことをしていたのだろう。まさか「ハイキング」の歌を歌うわけにもいくまい。ただ黙って座《すわ》っているだけなのだろうか。それとも「インターナショナル」を歌っているのか。あるいは、例の調子で「人民のォー、敵、機動隊をー、断固ォー、粉砕《ふんさい》するゾォー」と、アジテーションの練習をしているのだろうか。いずれにしても、バスガイドは無惨、まことに気の毒だ。他人事《ひとごと》ながら、そんな心配をしているうちに、そばを食いおわった。

憎しみの光景

ところで、みなさんは車で成田空港に行ったことがあるだろうか。ほとんどの人は、インターの右側にある「空港方面」という出口しか知らないにちがいない。しかし、左側にも「成田市出口」というのがある。その料金所から一歩出ると、華《はな》やかな国際空港とは別世界の風景が広がる。まるで西部劇のような荒涼《こうりょう》たる世界である。こんなところがあるとは、私も、この日まで知らなかった。

料金所のボックスの後ろには、やはりチューリップ・ハットにサングラス、マスク姿の男たちがいた。さっきいた中核派の人たちだろうか……、と思ったが、よく見ると違う。耳には〈Pチャン〉のイヤホンをしている。〈Pチャン〉とは、POLICEチャンネルの略、つまり警察無線のことである。手には書類ボードを持ち、ときおりトランシーバーで何かをしゃべっている。

そう、この人たちこそ、噂に聞いていた公安部の私服警官なのであろう。だが、私がよく知っていた右翼担当の公安三課とは、明らかに違う。ハッキリ言って怖い。

そんな人たちを横目で見て、集会のある三里塚公園を探す。地図に載《の》っていないので、適当に走って見つけるしかない。だいたいそういうところは、走っているうちにニオイでわかるものである。

だんだんと、公園に近づいてきたらしい。道の両側に機動隊員がずらっと並んでいる。そんなところに車が進むと、検問である。免許証の提示はもとより、トランクの中から車内の隅々まで、丁寧《ていねい》に調べられる。それも、一回では済まない。検問が終わり、ほっとして少し進むと、また機動隊員がウジャウジャいて検問だ。これでは、時間がかかってしょうがない。

当たり前である。こんなところに、反対集会のある日に、レンタカーに乗って一人で取材に来るマスコミなんか、ほかにあるわけがない。これでは、機動隊に疑われるのも無理はない。私は本当に情けなくなった。自分から行きたいと言い出した手前、しょうがない。

しかし「レンタカーで行け」と言ったのはTデスクである。

それはともかく、三里塚は、まさに荒涼とした大地であった。ときおり、轟音《ごうおん》を響かせて離着陸するボーイングの姿がなければ、十九世紀のアメリカ西部そのものである。いたるところに走る鉄条網は、そこが空港用地であることを示している。そんな風景の中で、いやでも目に入るのが、完全武装の機動隊の持つジュラルミンの盾、盾、盾。そして、空《あ》き地ごとに隠れるように停車している装甲車である。

ジュラルミンの盾が擦《す》れ合うカチャカチャという音、機動隊員の肩から下げられたグレネードランチャー（ガス弾用の銃）の鈍い黒光り、ポケットから顔を覗《のぞ》かせる剝《む》き出しのガス弾（催涙《さいるい》弾）、そのどれもが、私に妙な興奮と快感を与えてくれた。

何も考えずに成田空港からハワイにハネムーンに行くヤツらや、ギャーギャーわめきながら海外に出かけるアーパーどもは、一度ここに足を運ぶべきである。そして、この成田空港が、とんでもない出来事の末に作られたことを知る必要がある。自分たちが、たくさんの人の血の上に立っていることを認識するべきであろう。事実、ここでは神奈川県警機動隊の警察官三人が殺されている。

もっとも、中核・革マルらの職業的革命戦士、さらには反対闘争をしている農民たちも、海外に行くときには何食わぬ顔で成田空港を利用している。まあ、これが日本人というものかもしれない。

さて、目的地の三里塚公園まで「もう、ええかげんにせェ」というくらいの検問を受け、やっとのことで辿《たど》り着いた。ほかのマスコミの人たちはというと、みんな社旗の付いた黒塗《ぬ》りのハイヤーで来ていた。当たり前である。だいたいこういうブッソウなところには、ナメられないように、黒塗りのハイヤーで来るべきである。わが編集部のセコい根性には無性に腹が立った。

三里塚公園は、機動隊の濃紺の制服と装甲車で、幾重《いくえ》にも包囲されていた。さらにその背後には、警視庁、千葉県警など、ありとあらゆる公安機関の私服捜査官が、大型双眼鏡を手にして取り巻いている。

それにしても、公安部の私服警察官と極左集団の格好はそっくりである。どうやら、チューリップ・ハット（中には魚釣りのキャップの人もいる）に安物のサングラスとマスクというのは、成田でのお決まりのファッションらしい。

格好は似ているものの、両者の間にはまったく接触が見られない。もちろん馴合《なれあ》いもない。そばにいるだけで、お互いの憎しみのすさまじさをひしひしと感じた。

三里塚公園にいたる道は、すべて機動隊によって封鎖されている。だから、集会に出るためには、ここを通り抜けなければならない。そこで、機動隊の〈身体検査〉という洗礼を受けることになる。ヘルメットとか投石・火炎ビンなど、武具や武器の点検である。農民も中核も、二列に並んだ機動隊の中を、小突き回されながら進む。荷物はひっぱり出され、サングラスははずされ、足元にはケリを入れられる。女、子どもだからといって、容赦はない。

「触《さわ》らないで」などという〝つっぱった〟女には「おまえみたいな汚《きたな》い女に、好きで触っているんじゃない」「子どもが泣いているぞ。おまえみたいなバカな親を持って」などと、罵《ば》詈《り》雑《ぞう》言《ごん》を浴《あ》びせかける。ここで抵抗すると、ボコボコにされた挙句に、公務執行妨害で逮捕されることになるのであろうか。

イソ隊長

さて私は、公園の脇の道にスペースを見つけて駐車した。すでにそこには、ハイヤーがずらりと停まっている。テレビ、新聞、通信社はあらかた来ているようだった。雑誌は、ライバルのフォーカスがいた。フォーカスは、磯俊一《いそとしかず》カメラマンを筆頭に、松村カメラマン、新玉《しんぎょく》カメラマン、そして記者まで連れて、もちろんハイヤーで来ていた。こちらは、学校を出たばかりのカメラマンだけである。しかも、レンタカーにも気を配らなくてはならない。

磯カメラマンは、今年(平成八年)、お亡《な》くなりになった。彼は当時、すでにベテランの域に達しており「イソ隊長」「オイソ様」とも呼ばれていた。その風格からいって昔は火炎ビンを投げる側にいたのではないか、と私は邪推《じゃすい》した。しかし、その年齢に似合わず、ひじょうに貪欲でバイタリティ溢《あふ》れる方であった。

松村カメラマンは、かつて一世を風靡《ふうび》したローラーゲームの東京ボンバーズのメンバーだった人物である。さすが新潮社、採用基準がシブい。そのうち、ドロボーとかカッパライとかを採用するのではないか。当然のことながら、運動神経はバツグンで、アッという間に塀《へい》や木に登ることができる。いざというときの逃げ足が速いカメラマンであった。

新玉カメラマンは、おとなしそうに見えて、何を考えているのかわからない人物で、のちに、週刊文春で同僚になるとは、このときには当然のことながら知らなかった。三人のうちで、この人が最年少だが、それでも私より五つも年上である。

こんな歴戦の勇士たちを相手に、ペーペーの私が一人で頑張らなくてはならないのだ。

もし、この集会がはじけて(収拾がつかなくなって)、大荒れになったら、まず勝ち目はない。それでいて、彼らよりいい写真が撮れなければ、日本全国に恥を晒《さら》すことになる。というのも、翌週発売されるフライデーに〈PHOTO宮嶋茂樹〉というクレジット入りの写真が掲載されるからである。当然、ライバルのフォーカスと比較されるだろう。

私はABCD包囲網を前にした皇軍のような心境で、フォーカスの三人組に挨拶をした。三人の目は冷《ひや》やかに感じられた。

「なんや、おまえみたいなのが一人で来て。芸能人の張込みでもやっとらんかい」

そんなふうに言っているように見えた。

イソ隊長は、フード付きヘルメットまで用意していた。機動隊とまったく同じ型のヤツである。装備からして本格的である。

三里塚公園は、すでに解放地区と化しており「野戦病院」と書かれたテントまで建てられている。なぜかヤキソバ屋までが営業を始め、大きな鉄板でソバを焼いている。その前に行列ができていたので、腹の減っていた私はふらふらと列に加わった。すると、ヤキソバ屋のオヤジが言う。「カネがない人は、持っていっていいよ。カネはいつでもいいから。でも、マスコミの人は払ってもらうからね」。

どうやら、反対派のシンパらしい。

さして広くもない三里塚公園に、警察発表で約四〇〇〇人もの人が集まった。公園内には、託児所まで設けられていた。壇上では「パレスチナと連帯する会」とか「北富士婦人草の根会《くきね》」という明らかに極左っぽい名前の支援団体が、次々に紹介されていく。それぞれの代表の挨拶があるのだが、どいつもこいつも同じようなことばかりぬかすので、じつに退屈であった。

フォーカスの人たちも、写真を一通り撮りつくしたのだろう。集会所の横で、煙草《たばこ》を喫《す》いながらダベっていた。

異常事態発生

日も傾き、そろそろ集会も終わる時間になってきたころである。会場内に何やら妙な雰囲気が漂《ただよ》いはじめた。中核派、革労協、戦旗派、千葉動労の代表がアジ演説を始めたときは、すっかりおかしくなっていた。歴戦の勇士イソ隊長の顔も、何か不安そうに見えた。

何かが違う……。

「機動隊をセンメッツするぞォー!」

というアジテーションがあった直後である。

中核派の一団がざわざわとしだした。そして、急に三里塚公園の土を掘りはじめたのである。まるで、埋《う》めた骨を掘り出す犬のようだった。

「な、な、なんだ？」

驚いて見つめるカメラマン。地面の下から、武装用の白いフルフェイスのヘルメットが次々と現われた。もちろん、その前面には「中核」という文字が書かれている。

それはそれは不思議な光景であった。ただ、成田が初めての私には、この行動がどういう意味を持つのか、今一つピンとこなかった。集会のときには、いつもこんなことをやっているのかもしれないとも思ったのである。それはあまりに甘い観測であった。

いきなり三台のダンプカーが、公園の柵《さく》を突き破って突入してきた。もはや、私の目は点になっていた。公園の中ほどで、白いシートのかかったダンプカーは停《と》まった。ダンプカーの荷台がグイーンと上がる。あたり一面に、コンクリート片が散らばった。明らかに投石の材料である。

中核派はすでに、ヘルメット、ゴーグルにタオル姿という完全武装をしていた。彼らは、アッというまにダンプの周りに群がるや、投石のコンクリートを段ボールに掻《か》き集めていく。

なにがなんだかわからないカメラマンたちは、なにも考えずにその光景にカメラを向けはじめた。すると、それを見つけた中核派の活動家が、すぐさまカメラマンに襲《おそ》いかかる。私のすぐ目の前で、カメラマンたちがケリを入れられたり、しばきまわされたりしていた。こんな光景が、ダンプの周りのあちこちで繰り広げられた。

ここに及んで初めて、私のタフだが少しラフな神経も、これは異常事態だと認識した。中核派は無言のまま、しかし恐ろしい形相《ぎょうそう》でカメラマンに襲いかかる。その形相を見て、私は、右手に構えていたカメラを思わず下ろした。中東・ルーマニア・ボスニアなどの戦火をくぐった後年の宮嶋なら、すぐに中核のヘルメットの一つをパクリ、投石しつつ、シンパの顔をして撮影したであろう。だが悲しいかな、この時はまだ駆出《かけだ》しであった。

それにしても、あの厳しい機動隊の検問を、この三台のダンプはどうやって突破したのだろう。そのうちの一台は、鉄パイプや角材、火炎ビンを満載していた。中核派は、これらの武器を手にすると、準備運動を始めた。完全武装の集団が、ラジオ体操もどきの屈伸《くっしん》や柔軟体操をするのだ。これもまた、不気味な光景であった。

彼らも緊張しているように見えた。そのせいか、アジテーションにも異常に気合が入る。

「機動隊をセンメッするぞォ！　第三ゲートまで三〇〇メートルだ、第三ゲートから空港に突入するぞォーっ！」

私は、隣にいた新玉カメラマンと顔を見合わせ、ビビッていた。

公園のプレハブ・トイレの行列も、いつのまにか消えていた。

どこから持ってきたのか、五メートルほどの丸太も積み上げられた。もうその時点で、私は完全な興奮状態になっていたようだ。丸太を抱えた中核派の一団が、助走をつけて、第三ゲートを守る機動隊に突入しようとしたときである。

「いい写真を撮ったる！」——本能であった。カメラマンとしての本能が炸裂《さくれつ》したのであった。私は機動隊と中核の間に突貫《とっかん》していった。

袋叩き《ふくろだた》

ドシャーンというすさまじい音がして、機動隊の隊列が崩《くず》れた。その直後、機動隊と中核の間に挟《はさ》まれた私は、機動隊に袋叩《ふくろだた》きにされた。機動隊が一斉に盾と警棒で襲いかかってきたのだ。

気がつくと、両脇を機動隊に抱えられていた。ぼんやりとした意識の中で「ぼくは中核じゃない」とうめく。「本当か？　本当か？」と何度も聞かれたような気がした。

すでに、その場は無秩序状態になっていた。中核側からは、すさまじい量の火炎ビンと投石。機動隊からは、放水とガス銃の水平撃《う》ちが始まった。

火炎ビンは、モロトフ・カクテルと呼ばれているものである。一昔前の単純な火炎ビンではない。大型のガラスビンに、濃硫酸とガソリンを一対一でブレンドし、砂糖を少々入れ、スクリュー・キャップをしっかり締《し》める。そのビンに、塩素酸カリをまぶした薄い紙をペタッと貼《は》れば出来上がり。七〇年代から日本の学生の間で使われてきたものである。

この火炎ビンの利点はいくつかある。まず、ガソリンが逆流しないので、投げる人間が炎《ほのお》をかぶる心配がないこと。そして、ガソリンが充分流れ出したあとで、時間差をおいて自然発火すること。さらに、濃硫酸によって、相手の人体に与えるダメージが大きいこと。この火炎ビンは、そんな恐ろしい武器なのである。

投石は、コブシ大のかなり大きめのヤツであった。中核派のコントロールはかなりよい。ふだんから練習を積んでいるのだろう。完全武装の機動隊員ですら、これで頭部を直撃されるとたまらない。頭からドクドクと血を流して、次々に気絶していった。

放水は、高水圧ノズルを使って行なわれる。人間をバタバタなぎ倒すくらいの圧力はある。おまけに、催涙《さいるい》成分が含まれていて、水をかけられると苦しい。さらに、青い色素がついている。これは、逃走した活動家を捕《つか》まえるためである。駅などで、服が青くなっている人間を探せばいいのだ。

ガス弾は、ほとんど無制限に撃ちまくられていた。それも、水平に撃つのである。

日本の機動隊のガス弾（催涙弾）は、着火式と呼ばれるものである。発射と同時に、弾頭の催涙成分に着火する。この方式の利点は、数分間もガスを噴出することである。しかも、効果が長い。ただし、欠点もある。一つは、着火している弾頭を投げ返されてしまうことだ。もう一つは、着地式（パウダー式）より効果が小さいことである。したがって、ボカボカ撃ちまくることになる。

投石、火炎ビン、放水、銃声、どれも私にとって初めての体験であった。なにしろ、前の年まで、大学でノー天気に生活していたのである。こんなものには縁がなかった。

それが、一挙に四つとも経験してしまったのである。私は、感動と催涙ガスとで、涙がチョチョぎれる思いであった。怖いという気持ちよりも、自分もやっと経験できたという喜びのほうが大きかった。これで、編集部に帰って自慢できると思ったものだった。

鉄パイプの嵐

火炎ビンは、特に機動隊の放水車を重点的に狙《ねら》って投げられているようだった。逸《そ》れた火炎ビンは、周囲の民家や三里塚《さんりづか》交差点のスーパーにも飛び込んでいった。町がみるみる破壊されていくのがわかる。

機動隊は、投石と火炎ビン攻撃の前に、ジリジリと空港ゲートに押されていく。

中核のハンドマイクからは、煽動のゲキが飛ばされる。

「押しているぞォ、あと三〇〇メートル。殺せェ、センメツしろォ」

このヒステリックな叫《さけ》びで、中核はますます凶暴化していった。逃げ遅れた機動隊員が、ヘルメットをはずされ、頭部に鉄パイプの嵐を見舞われていた。もう、あれでは死んだだろうと私は思ったほどだ。

あとで聞いたところ、この人は重体だったという。まあ、たとえ目の前で人が殺されようとしていても、助けに行こうなどというモノ好きな一般人はいないだろう。ビビッてしまって、それどころではないのである。カメラマンや記者たちは、みな凍《こお》りついたようにこの情景を見ていた。同僚の機動隊員が救出に向かおうとするが、鉄パイプの嵐のために、なかなか辿《たど》り着けない。しばらくすると、中核は、ぐったりとした機動隊員を残して去っていった。

当初は、機動隊の広報車両から発せられる声も冷静だった。

「こちらは、成田警察署長である。中核派の諸君に、重ねて警告する。警察官に乱暴するのはやめなさい。警察官に乱暴すると、公務執行妨害で逮捕する」

といった調子であった。

広報車両というのは、ゴンドラの付いた装甲車のことである。よく、皇居の一般参賀で「参賀にお越しの皆様、一列にお並びください」などとスピーカーで呼びかけているアレである。

ところが、機動隊が押されていると見るや、調子が一変した。

「部隊は怯《ひる》むな！　中隊前へ、中隊前へ、前へ行かんかァ！」

と、指揮棒を振りかざした中隊長が、ヒステリックに怒鳴《どな》るだけになっていった。

私は、シブく、中核とともに前進……、するハズが、ひたすら逃げていた。すでにカメラもないのであった。いきなり機動隊にぶっ壊されていたのであった。それからは、火炎ビンと投石に追いまくられて、逃げるのに精一杯であった。ようやくスーパーの看板の裏に、飛び込むようにして隠れる。フォーカスの松村さんも逃げ込んでくる。二人はしばし

機動隊と中核派の乱闘後。新米の宮嶋は、乱闘中の写真を撮れなかった。しかし、現場の苦労は、現場にいた者しかわからない。

の間、そこで催涙ガスにむせび泣いていた。

私は、気を取り直し、涙を流しながらもカメラの回復作業を始めた。ストロボは根元からポッキリ折れている。また、高圧の放水のために、カメラの内部にまで浸水している。そのため、フィルムはひっついてしまっているし、カメラはウンともスンとも言わない。こんな場面でカメラが使えなければ、カメラマンは、単なるジャマモノである。

そのときである。私たちが避難していた看板に、火炎ビンが、たてつづけに直撃した。頭上から降り注《ふりそそ》ぐ炎《ほのお》。私たち二人は、悲鳴をあげて逃げ惑《まど》う。死ぬ、と直感したそのときであった。

――ああ、私は当時から八百万《やおよろず》の神々の御加護を受けていたのであろうか――運よく、機動隊が大量の放水をしてくれたのである。炎は収まった。しかし、フィルムを取り出そうと裏ブタを開けていた私のキャノンF1にも、たっぷりと水が流し込まれた。それ以後、キャノンF1は、ただの鉄の塊《かたまり》になった。

わがレンタカーが廃車になってゆく

そうこうしているうちに、状況が変わってきた。もともと、人数と武装では中核を圧倒している機動隊である。押されていた機動隊が反撃に出てきた。公園の柵《さく》を突き破る装甲車。「潰《つぶ》せェ、潰せェ」と叫《さけ》びながら走り回る指揮車。機動隊は徐々に中核に対する包囲を狭《せば》めつつあった。

機動隊にしても、このままでは済ませたくないだろう。さっきの鉄パイプの殴打や、投石の直撃弾で、機動隊側にはすでに大量の血が流れている。相手を全員半殺しにして逮捕するまで、諦《あきら》めがつかないにちがいない。

民家に逃げ込もうとする中核を捕まえ、ほとんど例外なく、気絶するまで警棒と盾でどつきまわす。そのうえに手錠をかけて、気絶したまま道路を引きずっていった。手錠がなくなると、民家の軒下にあった洗濯用のひもで、手をぐるぐる巻きに縛《しば》っているのもいた。

包囲されはじめた中核は、最後の抵抗を見せていた。公園のトイレを道路に引きずりだし、そこで大量のクソを撒《ま》いたのである。おかげで、町中が異様に臭くなってしまった。

その悪臭の中のことである。私はふと我《われ》に返った。

「はて、道路に停《と》めておいたトヨタ・ビスタは大丈夫だろうか？」

私はイヤーな予感がした。

「これはイカン、至急、見にいこう。どうせ写真も撮れんのだし……」と、公園の脇へ急いだ。

そこは、まだ戦闘の真っ最中であった。あれだけいたハイヤーは、一台残らず消えていた。ただ一台、私のメタリック・グリーンのトヨタ・ビスタだけが、ポツンと取り残されていた。

私の車を挟《はさ》んで、機動隊と中核派が一進一退を繰り返している。ますますイヤーな予感がした。私の車は、双方からバリケードとして使われていたのであった。雨霰《あめあられ》と降り注ぐコブシ大の投石が、ドスンドスンと車に命中しているではないか。

すでにフロントガラスはない。ミラーも折れているのか、見あたらない。ボンネットにも天井にも、大きな穴や凹《へこ》みが見える。

火炎ビンが至近距離で爆発している。もはや、燃やされるのは時間の問題であろう。だが、接近は死を意味する。私は、指をくわえて、車が廃車になっていく様子を見ているだけだった。

機動隊が私の車をバリケードにして、進み出ようとしている。なんともドあつかましい機動隊だ。私は、無性に腹が立った。すると、その機動隊員を見つけた中核が、さらに車めがけて集中砲火を浴《あ》びせる。「わははははは……」。笑う以外になす術《すべ》はなかった。カメラはやられるし、車もやられる。しかも、私の役目は何一つ果たせていない。めまいを覚えながら、機動隊が制圧した三里塚公園に戻った。催涙ガスの臭いが強烈である。ガスはレモンの臭いがする。涙がとめどもなく流れる。私はふらふらと公衆電話に近寄っていった。

その公衆電話は、火炎ビンと放水で焼けただれていた。それでも、ためしに受話器を取ってみると、ちゃんとツーという音がする。さすがは日本の技術である。編集部に電話することにした。「お手上げです。カメラはもう使えません。車も焼かれました」

ここの模様は、夕方のニュースで流れたらしく、編集部では大騒ぎの様子である。私は、心の中で「だから、いいい、はじけると言ったじゃないか！」と舌打《したう》ちした。テレビの映像を見て慌《あわ》てているようでは遅いのである。

でも、この先のことはだいたい見当がつく。担当編集者は、テレビの映像のイメージ以上の写真があるものだと勝手に決めているにちがいない。初めに話したときは、ロクに人の話も聞かないくせにである。

「応援お願いします。私一人ではもう何もできません」

ムダと知りつつ、私は哀願した。

「応援はやれん。一人で頑張ってくれ」

電話の向こうからは、わかりきった答えが返ってきた。私は呆然《ぼうぜん》として受話器を置いた。

阿鼻叫喚《あびきょうかん》

三里塚は、町も道路も、投石と火炎ビンでムチャクチャになっていた。公園の柵《さく》を、機動隊の装甲車がぶち破ろうとしているところだった。三里塚公園に残る反対派の残党を排除するためだろう。柵が頑丈なため、意外に難航しているようだ。エンジンを全開にして、半クラッチにしている。すさまじいディーゼル・エンジン音が響き、クラッチ板の焼ける臭いが漂《ただよ》う。中核派が撒いた糞尿の臭いとブレンドされ、公園のまわりには、この世のものとは思えぬ異臭が生まれていた。あたりは、すでに真っ暗闇である。

ついに、反対派の数倍の人数の機動隊が、公園に雪崩《なだれ》込んだ。野戦病院はとうに蹴散《けち》らされている。ときどき、逃げ遅れた中核が機動隊に捕まっているのが見える。あちこちで、機動隊による検挙活動(リンチ)が行なわれていた。「ギャー」「キャー、助けてェ」という声が聞こえる。だが、若い機動隊員は、女の悲鳴を聞いて、ますます興奮する一方のようだ。

学生も機動隊員も、私と同じ年齢か、それより若いのだろう。六〇年代、七〇年代という学生運動を経験した人は、ほとんどいないにちがいない。そんな若い人たちのみんながみんな、仲間の血を見て興奮し、凶暴化しているのだ。

ここでも機動隊は、反対派が気絶するまで、警棒で殴《なぐ》り、ケリを入れる。手錠は肉が嚙《か》むまで思いっきり締《し》めつける。そして、気絶したままの相手を道に引きずっていった。手錠が足りなくなると、気絶したまま、放っておかれたらしい。暗くなった公園のあちこちに、ドロリと血を流した学生らしき影が、ピクリともせずに転がっていた。

と、近くの藪《やぶ》がガサガサッと音を立てた。ビクッとして見ると、磯《いそ》カメラマンが飛び出してきた。そういえば、暗闇の中で、ストロボがピカッと光ったっけ。その後ろのほうでは、機動隊員らしき怒号が聞こえる。

「なんじゃあ、誰じゃあ、おい捕まえろ」

これは何かあると私は直感した。ガサガサと藪の中を進むと、機動隊員がまさに検挙活動という名のリンチをしている真っ最中であった。

私は、最後のチャンスとばかりに、もう一台のカメラを取り出した。こいつもほとんど使えない。そして、根元からポッキリと折れたストロボをつけて、シャッターを押した。するとパチャリとシャッターが落ちるではないか。ストロボもちゃんと同調した。これはメデタイと喜んでいると、機動隊員の怒号が再び聞こえ、首筋にひんやりとしたものが当てられた。それが、グレネード・ランチャーであることはすぐにわかった。

「おまえ、中核派やろ。ここには、マスコミに化けた中核派がたくさんおる。おまえもそのうちの一人やな」

私の両手は、自然と高く上がっていた。

「違います。本物のカメラマンです。さっき撮ったのはボクじゃありません」

と、ブルブル首を振りながら、必死で言い訳をした。ナゼか相手が関西弁で私が標準語なのであった。幸《さいわ》いその場はそれで収まり「さっさと消えろ!」と、突き飛ばされた。私は、ヒエーと、一目散に公園を後にした。

公園の外では、脱出に成功した反対派が態勢を立て直し、機動隊と対峙《たいじ》していた。上空には、警察のヘリが超低空飛行をしている。そのヘリが強力な投光機を使って地上を照らしている。はるか遠方は、空港の滑走路だろうか。フラッシュ・ライトを点滅させながら、飛行機が離着陸していく。まさに、映画で見た『未知との遭遇』のようであった。その美しさに、私はしばし見とれていた。

機動隊員は、ジュラルミンの盾を、アスファルトの道路に小刻《こきざ》みに叩《たた》きつけている。士気を高めるためなのだろうか、それとも恐怖を忘れるためなのだろうか。そのガチャガチャという不気味な音が、確実に中核派をビビらせていた。

その後は、散発的に鉄パイプと警棒の応酬があった程度である。約三時間後に、戦闘はほとんど終結した。重軽傷者多数、逮捕者にいたっては二四一名であった。

犯人は誰だ

私は、腑抜《ふぬ》けの状態で、トボトボと車のところまで歩いていった。よく下を見ると、中核のヘルメットとコンクリート片が散乱する中、大量のウンコがばら撒《ま》かれている。私は、ウンコの間を縫《ぬ》って車に辿《たど》り着いた。すでに、千葉県警の現場検証が始まっていたようだ。警察官数人が、不審そうに私の車を見ている。

「あ、その車、うちの車です」

私は、思わず叫んだ。

「何だね、キミは！」

「はい、講談社のカメラマンです。騒ぎが大きくなって、車を動かすことができずに、こうなってしまいました」

私は、はきはき答えた。

「ふーん、捜査のジャマだから、早く帰れ」

「早く帰れと言われましても、車がこんなんじゃあ、動かせませんよ。たとえ動いても、東京に入るころには、整備不良で捕《つか》まりますよ」

「いい！　オレが許す。ただちに、この車を移動させよ」

ムチャなことを言う。が、泣く子とオマワリさんには勝てないので、しぶしぶ車に乗ることにした。車内は、フロントガラスの破片と、飛び込んだ投石でメチャクチャであった。これでは万が一、動いたとしても、ガラスの破片が顔に飛んでくる。危ないこと、このうえない。どうしたものか……。

こういうときに役立つのが、私の〝シブ〜い準備〟であった。私はゴーグルを持っていたのである。そしてエンジンをかける。なんと、かかった。ライトも、いくつかは点いた。ただ、ラジエーターが壊れているらしく、エンジン音が変である。水温計も高めだ。どちらにしても、このトヨタ・ビスタは廃車だろう。数時間前には、新車同様だったのに……。

ギアをドライブに入れる。

動いた！　ブレーキも効《き》いた。さすが、世界に冠《かん》たるトヨタである。

それでも、東京まで運転できそうにはない。トヨタ・レンタカーの成田支店まで行くことにした。

成田支店のオッサンは、車を一目見るなり、驚きの声をあげた。

「ど、ど、どうしたんですか？　事故証明は？」

「事故証明？　成田警察署は中核の犯行だと言うだろうし、中核派は機動隊がやったと言うでしょう。オジサン、度胸があるなら、成田警察署と中核派の前進社へ行って、事故証明取ってきてくださいよ。もちろん、そんなもん、くれるわけないでしょうが」

もう、ヤケクソである。

「じゃあ、今日のデモでこうなったんですか？」

「ありゃデモじゃなくて市街戦ですよ。まあ、保険会社は災難ですな。保険会社には適当に言っておいてください。疲れたからワシは帰ります」

トヨタ・レンタカー成田支店の仮駐車場には、ノー天気にハネムーンから帰ってきたような新婚が、サムソナイトを持って立っていた。彼らは「ふーん、交通事故か?」というような目で、こちらを見ていた。

現場にいなかった者にはわからない

編集部に帰る。前日の張込みから、一睡もしていない。それでも、暗室に入って現像した。やはりロクな写真はなかった。

「これじゃあ、共同通信から写真を買わないとダメだな」

と、Tデスクは嫌味《いやみ》を言う。ほかの人からも、ボロクソである。「宮嶋は舞い上がって、ピンボケの写真ばかりだった」などと言われてカチンときたが、返す言葉もない。フォーカスにも完敗であろう。

こういったことがあると、必ず「オレたちのころの闘争は、もっとすごかった」とか「オレが取材に行ったときは、ずっと大変だった」「今日みたいのは、たいしたことはない」というオッサン・カメラマンがいる。私は、こういうオッサンが、大・大・大嫌いである。私が、自分が現場にいなかった取材については、けっして意見や感想を言わないように決めたのは、じつに、このときからである。取材の苦労や喜びは、現場にいなかった者には、しょせんわからないものなのだ。

次の日、Tデスクはどこかから写真を買ってきた。

そして、数日後、トヨタ・レンタカーから請求書がきた。金額は覚えていないが、明細書がついていて、合計一〇〇万円以上だったようだ。

「宮嶋！　これを見ろ！　何だ、これは？」

「え？　いったい何の金額ですか」

「この間の日曜日、おまえがぶっ壊した車の修理代らしいぞ」

「ぼくが壊したんじゃないですよ。それに、保険に入ってたんでしょ」

「これを見ろ！」

と、差し出されたのは、トヨタ・レンタカーの契約書と、保険契約書であった。その中で、アンダーラインが引かれている部分があった。

〈地震、天災、戦争、内戦、クーデター、デモ等で被《こうむ》った被害は保険会社は全額免責され、使用者がそれを負担する〉

そうだった。すっかり忘れていた。あらゆる保険がそうなのだ。海外旅行の保険にも、自家用車の保険にも、実家の火災保険から生命保険にいたるまで、すべての保険に、この条項が書かれているのである。したがって、トヨタ・レンタカーが使用者の私に修理代を請求するのは、きわめて自然な成行《なりゆ》きである。ただし、契約はフライデー編集部がしていたので、請求書がTデスクに回ってきたのであった。

「おまえ、どうする、これ？　ロクな写真も撮ってこないで、こんなカネまで払わされるのか？」

私は、腹が立ってきた。

「レンタカーで行けと言ったのはデスクですよ。荒《あ》れるのが予想された現場に、レンタカーで行けと言ったのは、そっちじゃないですか。私は運転手じゃないから、ずっと車にいるわけにもいかないでしょう。支払うのが嫌なら、千葉県警か中核派にでも請求書を回せばいいじゃないですか」

と、一気にまくしたてた。そして、もう、それ以上相手にしたくなかった。

あとで聞いたことだが、結局、株式会社講談社がこのカネを支払ったそうな。ほんのわずかなハイヤーのカネを惜《お》しんだ結果がこれである。わが記念すべき自主企画初取材は、じつに情けない結末になってしまったのであった。

5 人食い男を追跡せよ

――おかげで宮嶋は納豆《なっとう》が食えるようになりました

アブナイ男

身も心も関西人を誇りとする宮嶋だが、一つだけ関東にタマシイを売ったものがある。納豆《なつとう》である。納豆が好きになってしまったのである。しかも、光州でイカにアタる（65ページ以下参照）まで、イカ納豆は大好物であった。なぜ関西人・宮嶋が納豆を食《く》えるようになったのか。じつは、それには〝ふかーい訳〟がある。

昭和六十一年十月。少なくともこのときまで、私は納豆処女であった。あんなうまいものも知らずに、私はフライデーの仕事で張込みをしていたのである。

張込みの相手は、あの人肉事件の佐川一政《さがわかずまさ》である。昭和五十六年に起きたこの事件は、当時のマスコミを派手に賑《にぎ》わしたものだった。なにしろ、この佐川のヘンタイ野郎は、パリで金髪のオランダ人女子留学生を殺して、その肉を食っていたというのである。しかも、死体を冷蔵庫に保管して、少しずつ切っては食べていたというのである。パッキン（金髪）好きの私は、あまりの驚きともったいなさに、その被害者の名前まで覚えている。レネ・ハルテベルト嬢というバリバリのパッキン娘だった。

フランスの警察に捕《つか》まった佐川は、精神鑑定の結果、無罪。日本へ強制送還されたあとは、世田谷の松沢病院へ強制入院させられたと聞いていた。だが、じつは、いつのまにか退院をして、自由を謳歌《おうか》していたのである。

「六本木界隈《かいわい》に佐川が出没しているらしい」

昭和六十一年の初秋、そんな情報がフライデーの読者から寄せられた。まだ残暑が厳しいころであった。

六本木の現地からの情報である。本当だとすると、きわめてアブナイ。

心理学者によると、カニバリズム（人肉食）のケのあるやつが、本当に人を食ってしまうと強烈なエクスタシーを味わうという。そして、一回やってしまうと、再発する可能性がきわめて高いのだそうだ。そういう危険きわまりない男が、首都・東京を、大手を振って歩いているのだ。

さらに、恐ろしい情報が入ってきた。な、なんと、佐川がまた女を探しているという。しかも白人の女！

許せん！　佐川は何も罪の償《つぐな》いをしていない。それどころか、『霧の中』なる小説をものにし、レネ嬢の肉を食べる状況を事細かに書いているのである。

そもそも、このヘンタイが貧乏人なら、一生シャバに出られなかったにちがいない。ところが、佐川のおやじというのが、一部上場企業、栗田工業の社長であった。金持ちというだけで出られたのではないか。そのために、佐川の潜伏先《せんぷく》は高級マンションが多い。三〇歳過ぎてパリに留学できたというのも、父親が金持ちだったからである。ますます許せん！　おまけに、精神障害者ということで警察は手が出せないときている。それを知って、レネ嬢の父親は哮《たけ》り狂っているという。当然だ。

しかたがない。こうなった以上、あとはわれわれマスコミの仕事だ。佐川に枕を高くして寝させてはいけない。どこに逃げようと追いかけまわし、近所の人に「ここに人を食った佐川が住んでいます」というのを知らしめなければいけない。それが、われわれに与えられた任務というものではないか。

まずは、同級生だった高倉カメラマンと藤内《とうない》カメラマンから情報収集をした。彼らは、以前、佐川を隠し撮りした実績がある。

「佐川はチビで足が悪いくせに、逃げ足は異常に早い」

これが、佐川に対する彼らの印象であった。

早速、夜の六本木に下見に出かけた。同行したのは、のちに週刊文春のスゴ腕記者として鳴らすことになるアダチ記者である。

すると、あるわあるわ、いたるところに佐川の形跡があるではないか。表通りの電柱にも、横丁の掲示板にも、はては地下鉄の駅にまで、紙が貼《は》れそうなところにはどこにも、ノートの切れ端でできたビラが貼ってあるのだ。ビラには「バーバラへ、プリーズ・テレフォン・ミー」などという英語が、毒々しい赤いインクで書かれている。

名前こそ書かれていなかったが、これは間違いなく佐川の仕業《しわざ》だ。そう私は直感した。

そして、あるアパートに住む白人女性を訪ねたときである。

「小柄な眼鏡をかけた人が来て、写真を見せてこの人を知らないかと言うんです。そんな人は知らないと答えたら、この紙を置いていったの」

そのメッセージを見て、私は確信した。やはり名前はなかったが、本人が描いたとおぼしき似顔絵があった。それは、佐川にそっくりの気色悪い顔であった。

早速、私たちは張込みの準備を始めた。

まずは、佐川が立ち寄りそうなアパート近くの駐車場に車を停《と》めて、アダチ記者と張り込むことにした。

世の中の汚《きたな》いものを見すぎた

張込みといっても、ただ立って見ていればいいというものではない。張込みには、素人《しろうと》が思いもよらないテクニックと経験が必要とされる。同時に、張込みの辛《つら》さと情けなさは、一般の人には想像もつかないものであろう。いや、この業界で働く人間の中でも、本当の張込みを知っている人はごく少数である。不肖《ふしよう》・宮嶋、おそらく張込み延《のべ》時間に関しては日本有数であろう。時に思うが、カメラマンもパイロットの飛行時間のように、張込み時間を公式に登録して、それでギャラのランクをつけるべきである。したがって、読者は今から私が張込みについて少しばかりウンチクをたれるのを許さなくてはならない。

張込みが成功するかどうかのカギは、いかに長時間快適に張り込めるかにある。この私でも、それに気づくまでには長い道のりがあった。

フライデー創刊準備号のころは、信じられないことに、カメラを首からぶら下げ、道路に立ったまま張り込んでいた。今考えれば、まったく狂気の沙汰《さた》である。こんな格好では、撮れるもんも撮れなくなる。誰も、張込みなんぞやったことがなかったので、どうやったらいいかわからなかったのである。

そのうち、これじゃイカンということになって、カメラマンが自分の車を使って張り込むようになった。「張込みは車で」というのは今では常識だが、われわれは実地で、これを知ったのだった。

しかし、しょせん自家用車である。住宅街に自家用車が長時間停《と》まっていて、中に得体の知れない人間が超望遠レンズを覗《のぞ》いているのでは、不審きわまりない。すぐに一一〇番《ヒャクトウバン》された。

これではイカンというので、ワゴンのレンタカーを借りるようになった。なんとか中が見えないようにし、その中で張り込んだ。

そんな試行錯誤を繰り返した末、フライデーでは、張込み専用車を三台調達することになった。ここにきて、ようやく張込み環境は向上した。車の中にはまだ珍《めずら》しかった自動車電話もあり、無線機も取り付けられていた。

とはいえ、いつも張込みが快適であるわけはない。住宅街での真夏や真冬の張込みは辛い。エアコンやヒーターは、常時つけられるとはかぎらない。

特に、エンジンを切った真夏の張込みは地獄である。じきに、張込み車の中は、汗とタバコの臭いに満たされる。そこに、弁当の食べカスの腐敗した臭いが混じり、車内には異様な悪臭が充満するのである。

報道カメラマンを目差して大学で勉強していたころは、まさか自分が「張込み」なるものをするとは、ハッキリ言って夢にも思わなかった。

初めて張込みをしたのは、大学の卒業式の前日である。当時、ひょうきんアナウンサーと呼ばれていた山村美智子アナの婚約者をフジテレビ局内に張り込んだのであった。このときは、さんざん待った挙句、局内で強行に取材に出たところで、カメラをぶっ壊された。これはショックであった。こんなことをしてまで仕事をするのかと、カメラマンの仕事に不安を覚えたものである。

できることなら張込みなんてやりたくない。でも、相手にふつうに取材をかけたら、取材拒否されるか逃げられるかがオチである。だから、張込みをするしかないのである。映画『ダーティー・ハリー』で、クリント・イーストウッド演ずるキャラハン刑事が、張込みをしている場面があった。彼は、夜のマンションを双眼鏡で監視しながら、隣の若い刑事に「オレは世の中の汚《きたな》いものを見すぎた」とつぶやく。張込みをしたことのあるカメラマンは全員、そこで「うーん！　オレもだ」と思ったはずである。

敵前逃亡者

さて、佐川の張込みである。アダチ記者と組んだ張込みは、これまで決まってよくないことが起きていた。今回の佐川の張込みにも、なんだか私はイヤーな予感がした。おまけに、張込みの途中で社員記者C氏が来た。こいつは、来なくてもいいときに来て、来てほしいときに来ないヤツである。小心でセコいくせに、口では大きなことを言い、緊急のときは、いつも舞い上がってしまう。今回もこいつのせいで、ずいぶん振り回された。

さて、アダチ記者、C記者、私の三人が、見る方向を分担して一時間くらいしたときであった。突然、アダチ記者が大きな声を上げた。

「うっ！　チビで足を引きずっている。来たぞ！」

前もって決めた段取りでは、見つけしだいストロボを焚《た》いて撮りまくり、三人で周りを取り囲んで話を聞くということだった。われわれは「よし行くぞ」とばかりに、ワゴン車のスライド・ドアを開けて、勢いよく飛び出した。

ところがである。なんと、C記者は反対方向に走っていくではないか。アダチ記者と私は目が点になってしまった。Cのアホは、緊張感にいたたまれなくなって逃げたのであった。本当に役立たずのノーなし男だ。

しかたがない。私はカメラを鷲摑《わしづか》みにして、セッティングしながら走っていった。そして、獲物のチビとの距離が三メートルくらいになったときである。チビがこちらを振り向いた。その顔は驚愕《きょうがく》にうち震えて、今にも心臓が止まるかのようであった。

びっくりしたのはこちらも同様であった。まったくの別人だったのだ。

われわれは呆然《ぼうぜん》として車に戻ったが、Cはバツが悪いのか、結局戻ってこなかった。

佐川は週末になっても来なかった。

そうこうしているうちに、メッセージに残っていた電話番号から住所が割れた。真鶴《まなづる》のマンションの一室だった。佐川はバーバラからの電話を一日中、部屋の中で待っているのであろう。

敵前逃亡したC記者からも、ほとぼりが冷《さ》めたころに連絡が入った。「早く撮れ」という催促である。まったく勝手なヤツである。

「情報がほか（ほかの写真週刊誌）に伝わる可能性が大だ。六本木の佐川のビラを全部剝《は》がしてこい。それで今週入稿《にゅうこう》する」

などとほざく。本当に始末におえない男である。

アダチ記者と私は、文句タラタラ小田原《おだわら》に向かった。

「なあ、たっちゃん（アダチ記者）。休みたいのォ」

「そやな。疲れたなあ。せやけどCが今週入れる（入稿する）と言うとるからなあ」

佐川のマンションは、幸《さいわ》いにも、とある旅館の真ん前にあった。早速、旅館にチェックインした。あとは二時間交代で、佐川の部屋とマンションの出入口を、一秒も見逃《みのが》さずに観察しつづけた。そして、われわれは確信を持った。

「部屋にいる！」

張込みは二日目に入った。カメラはいつでも撮れるようにセットして、窓際に置いてある。そしてカバンも、すぐに持ち出せるようにそばに置いておいた。それにしても、二日間、二人の人間で一秒も逃さずに張り込むのがいかに辛いか、やったことのない人には想像がつかないであろう。

二日目の夜になって、例のCから電話があった。次の日、藤内カメラマンと一緒にこの旅館に来るという。私とアダチ記者は、愕然《がくぜん》とした。

「なんで来るんじゃ！」

「また邪魔しに来るんやろ」

「つい先日、敵前逃亡したばかりやのに……」

「いやあ、あいつのことやから、上の人間に『私が必ず、やってみせます』とか何とか言うとるのやろ」

「しかし……、本当にこの仕事をやり遂《と》げたいのなら……、なんで来るんやろ？」

私たちは不審がりながらも、多少は期待を抱いた。

「でもよかった。Cと藤内カメラマンが来たら、張込みを代わってもらって、オレたちは八時間くらいゆっくり寝よ」

「そやな。風呂入って、浴衣《ゆかた》着て、マッサージでも呼んでゆっくり寝よ」

二人して、楽しいことを思い浮かべながら、最後の根性を振《ふ》り絞《しぼ》って張込みを続けた。

Cと藤内カメラマンは、明け方ころにやって来た。来たかと思うと、Cは「疲れた」と言ってさっさと寝てしまった。本当に、しょうもないヤツだ。

張込みは藤内カメラマンに代わってもらうしかない。アダチ記者と二人、喜々として布団に入ったところまでは覚えている。酒も飲まないのに、五秒と経たないうちに熟睡してしまった。

歴史的瞬間

そして二時間後「おい！　ミヤジマ！　交代だぞ」という声で起こされた。

寝ぼけ眼《まなこ》で張込みを交代してまもなく、女中さんがやって来た。

「皆さん、朝食お持ちしましたよ」

二人が寝て、二人が起きている異様な光景である。だが、女中さんは不審がることもなく、淡々と四人分の朝食を置いていった。さすが安宿だ。

朝食は、ごはんに味噌汁。おかずは、アジのヒラキに納豆《なっとう》であった。

そう言えば、最後にまともにメシを食《く》ったのは、いったいいつだったろうか？　私はしみじみと朝食に箸《はし》をつけた。もちろん、マンションの出入口からは一秒たりとも目を離すことはない。

このときのメシのなんとうまかったことか。アジのヒラキはひじょうに美味であった。

そして、やはり目をマンションに向けたまま、それと気づかず何気なく納豆を口に運んだ。これこそが歴史的瞬間であった。

「う、うまい！」

じつはこのとき、私は生まれて初めて納豆を食ったのである。いやいや、これはたぶん宮嶋家の人間が最初に納豆を食った瞬間であろう。なにしろ、私の実家近くの豆腐屋では、納豆を売っている店など一軒もなかったのである。

「なんや！　納豆ってこんなにうまいもんだったんか」

私は感動した。その後、私が納豆好きになったことはすでに述べた。その陰には、このような秘話があったのである。

しかし、いつまでも感激に浸《ひた》っているわけにはいかなかった。われわれには、佐川を捕《つか》まえるという使命がある。

四人とも起きてきたところで、佐川が出てきたときの役割分担を決めた。まずは、藤内カメラマンが車で追っかける。私とアダチ記者は、玄関で写真を撮ったらすぐ東京に帰り、現像してプリントすると決めた。Cについては前回の件もあるので、あてにしていなかった。

佐川、現わる

そして、また私の張込みの番になったときである。部屋の中は散らかり放題である。頭がボーッとしてきた。と、玄関から二人のチビが出てきたのだ。

いっぺんに目が覚めた。口より先に手が動いた。二、三枚シャッターを切る。

「おい出たぞ！」

と私が言うと、全員がガバッと跳《は》ね起きた。Cはオロオロしてわけのわからんことを口走っている。結局、最初に飛び出したのは、私とアダチ記者であった。私たち二人はレンタカーに飛び乗って追いかけた。チビ二人は、表通りでタクシーを拾う。ラッキーである。タクシーの追跡は比較的バレないものなのだ。タクシーは五分も走ると、真鶴駅に着いた。

私とアダチ記者は、キーを付けたまま、レンタカーを駅前に乗り捨てた。アダチ記者がいちばん短い区間の切符を買ってくる。われわれもその後ろのベンチに座った。ホームに入っていった。ベンチに座《すわ》る。それを見て、われわれもその後ろのベンチに座った。チビ同士の会話は二人とも関西訛《なまり》があった。取留めのない会話である。たぶん兄弟なのであろう。

そして、ふと気がつくと、われわれ二人の身なりがおかしいのに気がついた。アダチ記者は、襟《えり》にヨゴレが首輪のようについたヨレヨレのワイシャツに、靴下なしで革靴を履《は》いている。私は、左足にスリッパ、右足にスニーカーという出立《いでた》ちだった。

そのうえ、二人とも財布を忘れていた。

ポケットの中身を掻《か》き出してみたが、二人の合計額は五〇〇円もなかった。いったいこいつらはどこに行くのだろうか？　息を殺して見守っているうちに、上りの電車が入った。二人に続いて、われわれも乗り込むことにする。そして佐川らが座ったのが、なんとグリーン車だった。

「まずい！　カネがない！」

「しょうがない。知らんぷりして乗ってよ」

彼らの後ろのほうの席に座っていると、運の悪いことに検札が来た。

「おそれいります。切符を拝見！」

「ちょっと車掌さん。ちょっとこっちへ来てくれ」

こうなったら、ヤケクソである。

「何ですか？　いったい」

「まあまあ、大声出さずにちょっとデッキに出てくれ」

そう言って、グリーン車の外に車掌を連れ出した。アダチ記者が名刺をきり、事情を説明した。

「いいですか？　あそこのチビ二人の右側のヤツ、あいつは人殺しです」

たしかにウソではない。

「あっ！　そう言えば、どっかで見たことがあると思っていました」

「そうでしょ。じつは私ら、先週からずっとあい<ruby>つを監視しているんです」

これもウソではない。

「そうですか？　そういう事情ならしょうがないですね」

なんというシブイ対応であろう。

私たちは何一つウソをつかずに、窮地を乗り切ったのであった。


「突っ込め！」

チビ二人は藤沢《ふじさわ》で降りた。必ず何か行動を起こすはずである。丸一日泳がせれば、いい写真が必ず撮れるはずだ。編集部の指示を仰《あお》ごうと、アダチ記者はホームに降りるやいなや、公衆電話に走っていった（携帯電話など普及していない時代である）。私は、ホームをチビ二人のあとをつけていく。やがてアダチ記者が走って追いついてきた。

ゼエゼエ息を切らせながら、アダチ記者は私に言った。

「編集部からの指示や！　『突っ込め！』とのことや」

「アホかいな。あと一時間泳がせたら意外なとこに行きよるぞ！」

「アカン。今すぐやれっちゅうこっちゃ」

なんたることか。もう少し現場を信用してくれてもいいだろうに。

「そんなアホな」

「それは編集部に言うてくれ」

「一週間以上も張り込んで、こんな駅を歩いているしょうもない写真で終わるのか？」

これまでの苦労は何だったんだ。あと一歩でなんとかなるはずなのに……。

アダチは合図を送ると、佐川兄弟の前に何気なく回り込んだ。二人の動きを止めたところで、とりあえず写真は押さえた。アダチ記者がしつこく食い下がり、話を聞こうとした。しかし、チビ二人はアダチ記者の手を振り切り、タクシーに乗ってしまった。私たちもカネがないのにタクシーに乗った。アダチは開口一番「どないしょう？　佐川に触《さわ》ってしもた」とうろたえていた。

タクシーで追跡すること五分。チビ二人のタクシーは市民会館に着いた。佐川の兄が先に降りた。私も飛び降り、佐川のタクシーのドアが閉まらないように、手で押さえる。邪魔をする兄を振り払って、タクシーの中にいる佐川を撮った。ビックリした佐川は兄を残し、どっかへタクシーで去った。

「何だ。横暴だな。キミたちは？」

一人残された兄は息巻いていた。

加害者の佐川一政にも人権はあろう。だが、被害者の人権はどうなるのか。もし佐川が同様の事件を起こしたら、誰が責任を負うのか。

藤沢市の市民会館では、クラシックのコンサートが開かれる予定であった。兄弟二人で聴きにきたのであろう。せめて、あと一時間でも泳がせてくれたら、いい写真が撮れたのに……。惜《お》しかった。

このときの最大の収穫は、納豆を食えるようになったことかもしれない。

6 天才も「紀子《きこ》さま」には敵《かな》わず

――御成婚パレードの人間アンテナ作戦

例のごとくの無理難題

この宮嶋を事件、事故、戦争、内乱だけのカメラマンだと思っているヤカラは、ナマズに食《く》われるであろう。何を隠そう、この宮嶋、皇室報道に関しても一目《いちもく》置かれる存在なのである。だが、その蔭には涙ぐましい努力があった。

平成二年六月。各報道機関、マスコミからミニコミ、アサヒ芸能やら有象無象《うぞうむぞう》の女性週刊誌、はてはラジオライフのような雑誌にいたるまで、巷《ちまた》は二十九日に行なわれる礼宮《あやのみや》（のちの秋篠宮《あきしのみや》）さま御成婚の話題で盛り上がっていた。

雑誌協会に所属しているカメラマンは、代表撮影などでずいぶん忙しそうだった。私は、カメラマンではあるが、雑協のメンバーではない。だから、まあどっちゃでもよかった。とはいっても、こういったお祭りムードは大好きだったので、パレードの話題が出ると心がはずんだ。それに、何と言っても、川嶋紀子《かわしまきこ》さまがお美しいのである。

ちなみに、カメラマンたちは、川嶋紀子さまのことを親しみを込めて「キコさん」と呼んでいた。それに対して、礼宮さまは「ナマズの殿下」と呼ばれていた。ナマズの研究をしているうえに、ヒゲをはやしているのがその理由である。不敬なカメラマンは〝殿下〟を省略して「ナマズはもう撮ったんだから出てこなくていいんだよ！　紀子さんの前に出るんじゃない！」などと言っていた。

と、そんなある日のことである。週刊文春の西川デスクから、例によって無理難題を押しつけられた。

「なあ、宮嶋！　これで何ぞ、オモロイこと、でけんやろか？」

「畏《おそ》れ多い」という言葉が辞書にない人である。この人にとって物事の価値は、面白い、面白くない、ゼニになる、ならない、の四つしかないのであった。

西川デスクが手にしているのは、御成婚パレード当日の取材要項であった。こういったイベントがあると、必ずこのような取材要項が極秘扱いで配布される。皇室行事ならば宮《く》内《ない》庁から、VIP来日ならば外務省から、雑誌協会経由で各出版社に回ってくるのである。

この書類には、一連《の》の行事の詳しいスケジュールはもちろん、それぞれの位置関係までバッチリと載っている。パレードにいたっては、そのコース、車列が示され、通過時間も分刻みで載っている。さらに、メインの撮影ポイントのイントレ（組立式の台）の位置なども示されている。

だが、そんなものは、社協（新聞）、民放、NHK、雑協、警視庁の談合、いや相談で決められてしまうことだ。私には関係がない。パレードのコースには、警視庁ビル、サントリーのビルなどがあるが、これも代表取材であった。

今回のパレードは、午後五時に皇居を出発。二重橋《にじゅうばし》、皇居前広場を通り、内堀通りを右折して霞ヶ関《かすみがせき》方面へ進む。そして、祝田橋《いわいだばし》交差点を右折し、そのまま内堀通りを三宅坂《みやけざか》交差点へ。さらに青山通りを直進し、赤坂見附《あかさかみつけ》の上の陸橋を通り、とらやの前を右折し、赤坂御所に入るというものだった。

こんなバリバリの規則ずくめの中で「何ぞ、オモロイことでけんやろか」もないものだ。おまけに、相手は畏れ多くも皇族である。アホなことでもやって捕《つか》まったらシャレにもならない。まあ、おとなしくコース上の歩道に陣取って、ハプニングでも狙《ねら》うしかないわ、と思っていた。しかし、だからといって退《ひ》き下がっては宮嶋ではない。ともかく、パレードと同じ時刻に同じコースを走ってみよか。そうすれば、なんかええことがあるかもしれん。そう思って、車で出かけることにした。

入念なる下見こそ成功のカギ

予定されているコースをゆっくりと走る。「どこぞに、ええ場所はないかのう」と、ロクに前を見ず上のほうばかり見て運転した。一往復したが、見つからない。もう一往復しても、やはりない。そして、三往復目をしていたときのことである。

「あった！　あれや！」

それは、一本の歩道橋であった。向きもなかなかいい。パレード通過の午後五時は、モロに順光である。おそらく超望遠を使ってもまったく問題なしであろう。

まさに、難破船の漂流者が、救助の船を見つけたときの心境であった。

ここで思い出されるのが、この一ヵ月前、盧泰愚《ノテウ》韓国大統領の車を撮ったときのことである。あのときも苦労した。ヘリコプターなどからの空撮は、当然のことながら厳しく制限されていた。それでも私は、なんとか車列が収まるような構図がないものかと、首都高を何往復もしたのである。そして、やっと見つけたのが、ある商社の大きい倉庫であった。その倉庫の上から写せば、空撮と同じような効果が期待できる。

私は、すぐさま大森署に向かった。

「え、韓国の大統領の取材の件？　そんなの外務省でやってんじゃないの？」

「いえいえ、この外務省の取材要項によると、高所からの撮影は……、ほれ！　ここに書いてあるように『所轄の警察署に届け出よ』となっておりますよ」

「そんなんもう、めんどくさいなあ。それであんたどこから撮るの。その建物の所有者の許可は取ったの？」

ここで「これから取ろうと思ってます」なんて言うと「あかん、あかん」と言われるに決まっている。

「ええ、取ってます」

私はそそくさと手続きを済ませ、大急ぎでその倉庫へ駆《か》けつけた。もたもたしていると、大森署から問合わせの電話がいくかもしれない。私が着く前に連絡がいったりしたら、ウソがバレてしまう。

私は、倉庫の管理人室を訪ねた。

「あのォ、五月二十六日、この屋上から高速道路の撮影をさせてください」

「え？　あのォ、警察のほうからね、二十六日には、誰も屋上に上げたらいかんと、お達しがあったんですが」

「ええ、心配いりません。警察の許可は取ってます。大森署の副署長に聞いてみてください」

「あ、そうですか。そんなら、けっこうです」

間一髪で間に合った。

盧泰愚の来日中は、私はなーんもせずに、ひたすら帰国の日を待った。そして、当日は警察官同伴で屋上に登り、羽田空港に向かう盧泰愚の車を待ち伏せたのである。

出来上がった写真は、それはそれはシブ〜い写真であった。

出版界のシャイロック

この写真には後日談がある。その写真の載った週刊文春が発売されると、グラビア班に電話がたてつづけにかかってきた。ほとんどが警察からだった。「いったいあれはいつどこから撮ったんですか？」というのがほとんどであった。

妙な話である。大森署にはちゃんと連絡しておいたのに。警察というのは、横の連絡が行き届いていないようである。

白バイの警官と名乗る人からも電話があった。「あの写真に写っている白バイの警察官は私です。ぜひ写真を譲《ゆず》ってください」というものだったらしい。運悪く、電話を取ったのが、〝シャイロック〟、つまり西川デスクだった。

「ああそうですか？　お宅はいったいどこの誰ですか？　写真はですねェー、規則で一枚一〇万円になっとります」

今、突然できた規則であった。とっさにこういうウソがつける西川というヒトが、私は心底からオソロシクなったのであった。電話はプツンと切れ、二度とその人から電話がかかってくることはなかったのであった。

「なんでそんなこと言うんですか!」と聞くと、西川デスクは「そんなん言うたかて、一〇万おまえがもろたら、一万俺がもらお、と思っとったんや。おまえもカネがぎょうさんもらえて喜ぶと思ったんや。親心じゃ」

こういうヒトでないと、四十ン歳で中央線沿線に一コ建ては建たないのであろう。

金日成《キムイルソン》の娘婿《むすめむこ》の写真が週刊文春に載ったときもそうだった。その写真は、金日成の娘婿が極秘来日したときに、私が成田空港で仕留《しと》めたものである。共同通信から問合わせがあったときに、西川デスクは、その写真を一〇万円で売りつけようとしたらしい。このときも、びっくりして私が問い詰めたが、蛙《かえる》の面《つら》に小便であった。

「ふっかけたとは何や! おまえの写真は大スクープなんや! 世界でたった一枚しかない金日成の娘婿の写真なんや。一〇〇万円でも安いくらいや。ちょっとでもおまえに喜んでもらおうと思ったんや。その代わり、一割は抜かしてもらうで」

「何を言うとんのですか。一割どころか一円にもなりませんわ。共同さんには、ほうぼうで世話になっとんのに、これで私の信用も丸潰《まるつぶ》れですわ」

実際、共同通信の中では「宮嶋はとんでもないワルだ」という風評が立ってしまったらしい。ところが、西川デスクは「あ、そうか。そら知らんかった」で終わりであった。

その西川デスクから「おもろいこと」との指令である。御成婚パレードで——。どうせシブい写真を撮っても、売り飛ばされて私腹を肥《こ》やされるのがオチであろう。しかし、言われれば、やってみせるのが男である。

プラチナ・ペーパー入手

私が見つけたポイントというのは、東京地検と日比谷公園を結ぶ歩道橋であった。パレードの通過する祝田橋交差点からは、二〇〇メートルほど離れている。

「はて、歩道橋の上というのは撮影禁止ではなかろうか」

私は不安になり、もう一度、穴があくまで取材要項を見た。

パレード中は、ヘリからの空撮は一切禁止。高所からの撮影も原則的に禁止。「原則的に」といっても、撮影に適した高いビルは、ほとんど霞ヶ関の官庁街である。交渉したところで、ムダに決まってる。さらに、移動しながらの撮影も禁止。そして、やはり歩道橋の上からの撮影も禁止とある。

「何や、せっかく見つけたのに。やっぱりダメか」

だが、もう一度よく確かめると、〈コース上の歩道橋上からの撮影が不可〉とあるではないか。ほなら、コース外の歩道橋やったらええんや、と勝手に判断した。幸《さいわ》い私が目をつけた歩道橋は、コースとなっている祝田橋交差点から、二〇〇メートルほど離れている。これなら規則にひっかからない。

さて、自分の勝手な解釈で、歩道橋からの撮影を決めたものの、一抹《いちまつ》の不安は残る。当日は当然のことながら、厳重な警備が敷《し》かれるはずである。そんなときに、いくらコースをはずれた場所だからといって、歩道橋の上で写真を撮って文句をつけられないだろうか。しかも、大型三脚、脚立《きゃたつ》、超望遠レンズと荷物も大量に使う。頭のカタイ機動隊員にインネンをつけられて、追い返されるかもしれない。私は沈思黙考した。

「よっしゃあ、警察で道路使用許可を取ってまえ」

この歩道橋の管轄は、丸の内署であった。そこで、道路使用許可申請書に花田編集長のサインと印鑑をもらい、きわめて詳細な見取り図、地図を添付して、丸の内署に提出しに行った。

道路使用許可が申請されれば、警察署は原則的に許可を出さなくてはいけない。この申請が必要なのは、デモ行進、道路工事、映画、TVのロケなどを行なうときである。

ハッキリ言って、これはわれながらシブい手である。警備の機動隊といったって、結局は役人である。同じ役所である警視庁からの許可が出ていれば、機動隊も、ぐうの音《ね》が出ないはずである。それに、コース外からの取材なので、取材要項にも違反しない。これなら、警視庁はもちろん、うるさい取決めをしている雑誌協会にも迷惑がかかる心配はない。じつに、いいことずくめのアイデアであった。

私は、ヒョコヒョコと丸の内警察署に出かけていった。担当のおまわりさんは、書類を一瞥《いちべつ》すると「ちょっと待ってくれ」と言って、私の書類を持ったままどっかへ消えてしまった。私はイヤーな予感がした。

しばらくすると、その人が戻ってきた。

「うちの警備課の者が話があると言っているので、ちょっとこっちに来てくれ」と言う。

言われるままに、警備課までついていった。

「文春さん、歩道橋から撮影というのは、宮内庁やうちの警備、各マスコミの方々とのミーティングで、やらないということになっています」

いかにも手慣れた対応であった。

「聞いてなかったんですか？　こんなもん、うちに持ってきてもらっても困るんだよ」

そんなことは百も承知である。私は反論した。

「へえ、そんなことはわかっとります。これがその取材要項でっしゃろ。よーく見てください。〈コース上の歩道橋上は一切不可〉とあるでしょ。でも、この歩道橋は、ホレ、コース外ですよ。これがダメだというのなら、パレードの最中は、日本中どこの歩道橋にも登れなくなりますよ」

われながら、じつにしっかりとした理論である。

鳩《はと》が豆鉄砲をくらったような顔とは、あんな顔のことを言うのだろう。警備課の人は、腕を組んだまま、しばし呆然《ぼうぜん》としていた。

「ふむ、そうだな」

「そうでしょ。機材もたくさん使いますし、警備の都合上ご許可願いますよ」

「ふむ、わかった。しかしこの花田ちゅうのは何だ？　社長印か社判を捺《お》してこいと書いてあるだろ！　この花田ちゅうのは代表取締役みたいに偉いのか？」

今でこそ花田さんはテレビに出まくるわ、フォーカスの顔相占いに出るわ、ついでに文春から朝日新聞に亡命するわ、雑誌は潰《つぶ》すわ、超有名人であるが、当時はさほどではなかった。

「へえ、まあ警察庁長官が社長としたら、丸の内署の署長クラスと思ってくだされば……」

「ふむ、ごっつう偉い人なんだな……。よしわかった。認めよう！　二日後までに許可を出すので取りに来てください」

ビンゴ！　私は心の中で叫《さけ》んだ。

二日後、丸の内署に行くと、丸の内警察署長のハンコがバーンと捺《お》してある道路使用許可書をくれた。すでに、パレードの前日になっていた。でも、これさえあれば百人力である。下っ端の機動隊員が難癖をつけてきても、これを見せれば、恐れおののいて平伏《ひれふ》すはずである。この許可書は、水戸黄門の印籠《いんろう》もびっくりのプラチナ・ペーパーなのだ。

むずかしい注文

私は、この知恵と汗の結晶をヒラヒラさせながら、編集部に帰ってきた。

すると「おい、宮嶋、どないやったんや」と西川デスク。

「へえ、バッチシ、取れましたで。これ見とくなはれ」

私は書類に添付された見取り図を見せて、壮大なプロジェクトを話して聞かせた。

「ようわからんけど、それでバッチリ、お顔は撮れるんやな？」

「何言うてますのや。二〇〇メートルの距離ですよ。車内の人間の顔なんか、いくら超望遠使《つこ》うても、撮れませんよ」

「アホやなあ、お顔も撮れんのに、そんなにイチビッとったんか。お顔撮れ！」

取材要項によると、礼宮さまと紀子さまの乗る車は、ニッサン・プリンスロイヤルである。日本に三台とない菊の御紋のついた車だ。皇族の通例に倣《なら》い、後部座席右側に殿下、左側に紀子さまが並ぶ予定であろう。もちろんオープンカーではない。いくらもろ順光と言っても、ストロボなしでは車内の二人は写らない。

「お顔撮ろうと思ったら、強力なストロボを同調させなあきまへんで、たとえば、ミニカムみたいなやつで」

「ほなら、それ使わんかい」

「へえ、そんなん使うんは簡単やけど、どうやって同調させるんですか？」

「そんなことオレが知るか。オマエが考えることやろ」

例によって、無茶なことを言う西川デスクである。しかし、不肖《ふしょう》・宮嶋、ここまで言って退《ひ》き下がっては男が廃《すた》る。たちまち私の氷の頭脳は〝シブ〜い〟作戦を思いついた。

「う〜ん、人手が要《い》りますね」

「誰かオマエの手下を使え。日当は一人一万円もつかましたら充分やろ。そや、カツヤ、当日おまえヒマやったら、手伝ってやれ」

西川デスクは、誠に理不尽な要求をしたうえに、部下のグラビア班員、カツヤ氏にまで手伝いを頼んだのであった。挙句の果てに「オモロイやんけ！　どんどんやったらんかい」と、一人ではしゃいでいた。

それにしても、これはきわめてむずかしい注文である。

そもそも、カメラとストロボを同調させるには、三つの方法がある。一つは、カメラの上部にあるホットシューにストロボを取り付ける方法。しかし、これは論外である。なにしろ、カメラと被写体の間が二〇〇メートルも離れているのだ。

もう一つは、カメラのX接点とストロボをケーブルで接続する方法。しかし、これもせいぜい二、三〇メートルが限界である。それ以上長くすると、ケーブルの抵抗がかかって、信号が伝わらない。ましてや、当日の厳しい警備状況の中で、路上に二〇〇メートルものケーブルを這《は》わすのは不可能であろう。取得した道路使用許可にも、そのような記載事項はない。残った方法は、ワイヤレスである。ワイヤレスも、無線と赤外線の二種類ある。装置も、コメット、クァンタム、ニコン、と二、三のメーカーがある。とにかく、これでいくしかない。

撮影まで、残された時間はわずかであった。私は片っ端から、カメラ機材のレンタル・ショップに電話をかけた。いちばん確実なのはニコンのやつであるが、一個一〇〇万円するうえに、それを二つ使う。結局、レンタル・ショップにはなかった。ほなら買《こ》うてまえと思ってニコンに電話すると、受注生産ということである。これでは間に合わない。コメットは赤外線方式で、届く範囲が狭《せま》い。広い室内、屋外でのロケなどを想定した商品である。まさか、二〇〇メートル先の人物の顔を撮るなどとは、夢想だにしていなかったのであろう。

宮嶋スペシャル1号・人間アンテナ「蘭花《らんか》」

残るは、無線方式のクァンタムだけである。メーカー側のデータでは、到達距離は一〇

○メートルとある。フーム、万事休すか。ここまできて、諦《あきら》めるのは悔《くや》しい。でも、諦めきれずに頭をひねっていると、いい知恵が浮かんだ。中継アンテナを立てるのだ！
しかし、当日の厳しい警備状況の中でアンテナを立てるなど、もってのほかである。丸の内署もきっと認めないであろう。そこでまた私は考えた。

……ほしたら、人間にアンテナを取り付け、ボーッと立たせとけばいいだろう。これなら、通行人扱いで問題なかろう……。私は、勝手にそう判断して、大光量ストロボのミニカムとともにレンタルしたのであった。

うまくいくはずではあるが、ぶっつけ本番では心細い。前の晩に、予行演習をすることにした。とはいっても、同じ場所でやるわけにはいかない。パレード前夜の祝田橋交差点のあたりを、機材を持ってうろうろしていたら、ただでは済まない。当日は、どこかに隔離されてしまう恐れがある。しかたがないので、大学の友人に手伝ってもらい、品川区の武蔵小山《むさしこやま》で実験をした。

ストロボから一〇〇メートル離れたところにアンテナ。そして、さらに一〇〇メートル離れた歩道橋に、無線機を手にした私が立った。シャッターを押してみる。

やった！　見事にストロボは光った。ざまあみろ！　これで成功したも同然である。なんというシブいアイデアであろう。人間爆弾「桜花《おうか》」ならぬ人間アンテナ。泉下《せんか》の皇軍が泣いて喜ぶであろう。私はこのシステムを「宮嶋スペシャル1号・人間アンテナ『蘭花《らんか》』」と名づけた。畏《おそ》れ多くも皇軍由来の名前である。

葵《あおい》の御紋

いよいよパレードの当日である。私は、パレードが始まる二時間前に、タクシーで乗りつけた。祝田橋付近は、ミーハーやらヤジ馬やらで、すでに大混雑であった。私は、おもむろに大量の機材を歩道橋に運び上げた。三脚を組み立て、準備をしていると、来た、来た、来ましたよ。出動服にヘルメット姿の機動隊員が。

「ダメ、ダメだよ、アンタ、ここからは撮れないんだよ！　アンタ、どこの社？」

「フフフ……、やはり来たか。待ってました。ええい、これを見よ！　控《ひか》えい！」

葵《あおい》の御紋の印籠《いんろう》のごとく、若い機動隊員の目の前に突き出したのは、例の道路使用許可書。

彼は目を丸くして「中隊長ォー」と叫《さけ》びながら、どっかへ消えてしまった。

フフフ、ざまあみい！　私は、着々と準備を進めた。

するると、今度は白い指揮棒を持った中隊長がやって来た。さっきの機動隊員が呼んできたのである。子どものケンカに親が出てきたような雰囲気だ。

「アンタ、さっきの許可書、もう一回見せてくれ」

中隊長はブスッとした顔で許可書に一瞥《いちべつ》をくれると「丸の内PSに確認連絡！」と、無線での確認を命じた。PSとは、警察署のことである。

「四機、四中隊より警視庁！　丸の内PS管内、祝田橋交差点歩道橋上の道路使用許可について、丸の内PSに確認したい！」

とかなんとか無線でやりとりをしているうちに、丸の内署より担当者らしきオマワリさんがやって来た。

「あっ！　中隊長？　あっこれ、ウチでたしかに許可を出しましたよ。ええ、私が一緒にいます」

「なんだ。困るんだよ。ここを警備してるウチにも一言いっといてくれよ」

中隊長は、こう捨てゼリフを残して去っていった。去り際には、ご親切にも、私のまわりにいたヤジ馬の整理もしてくれた。

「ハイハイ、ここはパレードは通過しません！　パレード通過時は、この歩道橋上には登れません！」

警察というものは、いったん味方につけてしまえば、これほど心強いものはない。税金を払ってきた甲斐があったというものだ。

助《すけ》っ人《と》部隊

やがて、カツヤ氏、お手伝いの写真部の甘利《あまり》先輩もやって来た。

カツヤ氏とは、文春の社員などと威張《いば》っているが、何のことはない私がフライデーで働いていたころは、風俗ライターをしていた男である。その生《お》い立ちのせいか、やたら裏世界に詳しく、私と各地で生死を共にしている。こーゆー人が文春で人生を全《まっと》うできるわけがなく、花田氏と同じころ、文春を追い出されてしまった。

一方、甘利先輩は、私の母校・日本大学芸術学部写真学科の二年先輩で、存在感のきわめて薄い人だ。C級グルメとしても有名である。シャケ缶、サバ缶にマヨネーズをかけて食《く》うとウマイということを発見して、週刊プレイボーイなどで取材を受けたことがある。また、牛丼屋で、前のカウンターに座《すわ》った女の子（たぶんブス）のために「前のお嬢さんに生玉子をさしあげてくれ」と牛丼屋のニィチャンに言ったという有名な伝説の持ち主でもある。この三ヵ月後には、新大久保パンスケ・ストリートの取材でもお手伝いしてもらった。そののち一度は、このヤクザな世界から足を洗い、家業の薬屋を継いでいたが、また舞い戻っている。

刻々とパレードの時刻が近づいてきた。丸の内署の人も加わって、最終の打合わせをする。カツヤ氏には重いミニカムのストロボを渡し、念入りに打合わせをした。

「三台目のプリンスロイヤルが交差点の手前の横断歩道を通過したら、右折を開始します。右折を完了するまで、ミニカムを正確に、後部座席に向けておいてください！」

じつはこういったパレード（大喪《たいそう》の礼、即位の礼など）は、前の週の日曜日早朝に、予行演習が行なわれる。本番とまったく同じ車列で、しかも信号を調節して実施されるのだ。もちろん私も見ていたので、撮影のタイミングはもうバッチシであった。

さらに、カツヤ氏が立つポイント、ミニカムの高さまで念入りに打ち合わせた。

「ミニカムを向けるだけでけっこうです。私のカメラと同調して、自動的に光ります。念のため、トランシーバーを持っていってください」

カツヤ氏は「わかった、ガッテンだ」と言って、いそいそと祝田橋交差点の日比谷公園側の三角地点に向かっていった。

甘利さんは、アンテナを立ててボーッと立つだけの役である。それでも、うれしそうに、はしゃいでいた。

迫《せま》るパレード、走る緊張

パレードの時間が迫《せま》り、緊張が高まってきた。ヤジ馬も、あらかたパレードのコース付近に行ってしまった。ときおり、まぬけなアベックやマスコミ関係者が「なんじゃろ?」とばかりに歩道橋に上がってくる。そのたびに、丸の内署の人が追っ払ってくれた。グラビア班担当の船山《ふなやま》記者が「がんばっとるかぁ?」と見にきた。

カツヤ氏に最後の無線連絡をする。ところが、カツヤ氏からの応答がない! どうなってしまったのだろうか? とはいえ、もう見に行く余裕もない。たぶん、あまりの人込みで、連絡が取れないのだろう。私はイヤーな予感がした。

しばしの静寂があった。やがて、日の丸の小旗がバサ、バサ、バサと音を立てて、波のように揺れた。その直後、ワァーッと歓声が起こり、先導の白バイの姿が見えた。時間どおりである。予定どおりである。晴天の順光、申し分ないライティングだ。レンズのチョイスも、三〇〇、五〇〇、八〇〇ミリと完璧である!

露出は、順光なのでオートで問題ない。ミニカムの到達距離の露出ともほぼ同じ。あとはピントをゆっくり、ゆっくり、合わせていくだけ。モータードライブのパシャパシャという心地よい音の中、撮影を進めた。

車列が三〇〇メートルの距離まで近づいたときに、ストロボ撮影用のカメラに変えた。手前の横断歩道のところまでじっくりと引きつけ、右折する直前に、高速モーターで三枚撮影した。一眼レフのため、ストロボの同調は確認できなかった。でも、三枚のうち、一枚は当たっているだろうと確信した。

失敗の真相

パレードがゆっくりと通過していく。私の仕事は終わった。完璧である。この宮嶋以外の誰がこんなシブい仕事ができるであろう。見物人がゾロゾロと帰りだした。甘利氏が戻ってきた。私はといえば、歩道橋の上で成功の余韻《よいん》に浸《ひた》っていた。と、そのときである。途切れていた無線が入った。

「アホ、ボケッ、カス。無線は入らんし、ストロボは一発も光らんかったど！　オレはアホみたいに重いストロボを持ったまま、ボーッとつっ立っていただけや！」

無線の向こうで、人間アンテナ「蘭花」のストロボ係・カツヤ氏が、ありとあらゆる罵《ば》詈《り》雑言《ぞうごん》を尽《つ》くしてわめいている。私は、突然、目の前が真っ暗闇になった。仕事が終わったあとののどかな気分が、いっぺんに吹き飛んでしまった。

「そんなアホな……」

私は、ただただ呆然《ぼうぜん》とするだけだった。

やがて、カツヤ氏は息を切らして歩道橋に戻って来た。

「ドアホッ！　車列から数メートルの人混みの中で、こんなブッソウな道具持って立ってるワシの気分にもなってみい。それもこれも、一瞬のチャンスにかけるためや。それが一発も光らんちゅーんは、どーゆーわけじゃ。警官には不審そうに見られるし、このドアホッ」

カツヤ氏の刺《さ》すような視線が痛い。なぜストロボが光らなかったのだろう。何が起こったのか、私には理解ができなかった。

ともかく、みんなに礼を言い、トボトボと編集部に戻った。ほかのカメラマンたちは、おのれの成果をガキのように自慢しまくっていた。その中で、私はショボショボと現像、プリントした。構図もいい。露出もバッチリ。まったく素晴らしい写真である。車の写真

車中の紀子さまのお顔を撮りたい。200メートル手前から超望遠で狙う。途中に人間アンテナ「蘭花」を立て、至近距離で大光量ストロボを同調させる作戦も、なぜか失敗。

としては――。車内は、な~んにも写っていない。これで、ストロボさえ光っていたら……。ストロボさえ光っていたら、百点満点の写真だった。

それでも、編集部のお情けで、見開きで使ってもらった。

後になって、冷静に失敗の原因を分析してみた。前夜の武蔵小山でのテストは、深夜の静かな場所だったので、うまくいったのであった。ところが、パレード当日は、警察やマスコミなど、ありとあらゆる強力な電波があたりを飛び交《か》っていた。それに邪魔されて、ストロボ発光の電波が届かなかったのであろう。途中で、カツヤ氏からの連絡が途切れてしまったのも、これが原因だと思われる。

見応《みごた》えのある写真をモノにしようと、血の滲《にじ》むような努力をし、ない知恵を絞《しぼ》った結果がこれである。計算どおりに事が運ぶと思ったところに、落とし穴があった。

だが、これしきの失敗でくじける私ではない。この失敗は、次に「宮嶋スペシャル2号」を生むのである。その成果については……、刮目《かつもく》して待て!

7 バカは埋《う》めなきゃわからない

――先生がワルガキを埋めた、宮嶋も埋めた

天誅《てんちゅう》くだすべし

不肖《ふしょう》・宮嶋、幼時よりその天才を謳《うた》われるも、けっして、いい子だったわけではない。しかし、最近のガキどもの悪態には虫酸《むしず》が走る。しかも、そいつらを「人権だ何だ」と言って擁護する、バカなオトナには、天誅《てんちゅう》をくだすべきだと愚考する。

というわけで、平成二年七月。私は福岡の砂浜で穴を掘っていた。人間を埋《う》める穴である。

朝というのに猛烈に暑い。そんな中を海水浴場の片隅で、ひたすらスコップで砂を掘っていたのである。汗がネクタイまで染《し》み込んで、先からポタポタと落ちてくる。近くを通りかかった水着のオネエチャンが、珍《めずら》しそうにこちらを眺《なが》めている。掘っても掘ってもきりがない。何が悲しくてこんなことをしなけりゃならないのか。私の頭は暑さのために朦朧《もうろう》としてきた。

「いつかやると思っていたが、とうとう宮嶋、女を殺《や》ったか」と、ここで考えるヤカラは、私によって埋められるであろう。

事の起こりはその前々日、週刊文春の編集部でのことであった。その週、週刊文春グラビア班はネタ切れで暇をかこっていた。私も当然やることがないので、文春の編集部にタダメシを食《く》いに通うのが日課になっていた。私が長寿庵のソバをすすっていると、グラビア班の西川デスクが、のっそりと近寄ってきた。

「おーい、宮嶋。何かオモロイ話ないかあ？」

「そうですなあ……」

私は、口にソバを入れたまま、目は新聞に向けたまま、けだるい返事をした。と、そのとき目に入った記事があった。私はまったくの思いつきで言った。

「こんなんで、どないだす？」

私は、生埋《いきう》め体罰の記事を見せた。福岡県で、先生が生徒を生埋めにするという体罰を加えた事件である。当時は、新聞紙上をずいぶん賑《にぎ》わしたものだ。

「これがどないしたんや」

「いや、オモロイでっしゃろ」

「アホか、おまえは！　これでどないせえちゅうんじゃ」

「いやいや、この埋められたヤツを捜し出して、もう一遍、同じように埋めてしまうんですよ」

私の頭には、人間が生埋めになっている〝シブ〜い光景〟が浮かんでいた。

「そんなこと、でけるか？」

「そんなもん、行ってみなわかりませんがな」

ここまで来たら、もう後に退《ひ》けない。

「よっしゃ、そりゃオモロイ。すぐ九州行け。ムダメシ食うとる場合とちゃう」

西川デスク、その企画がアブナイとか、そーゆーことを考えるヒトではない。

「すぐ行けと言われましても……。いつからでございましょうか？」

「今週号に入れるんや。今すぐ行け。最終便に余裕で間に合うやろ」

こんなわけで、なんだかわけがわからんうちに、福岡行きに飛び乗るのであった。

福岡のホテルにチェックインすると、すぐさま人を埋めるためのスコップを探しに出た。手頃なやつがダイエーにあったので買う。なんだか妙な気分である。カミさんを殺して埋めようという男も、こんな気持ちなのだろうか。私は、都会の真ん中を、大きなスコップを担《かつ》いでホテルに戻った。

埋《う》められた二人

翌日、朝から事件のあった学校に向かう。行ってみると、こんなド田舎に、というほどの人の数である。週刊誌からワイドショーまで押しかけてきていた。まさにテンヤワンヤの騒ぎだった。

まもなく記者会見が開かれた。いろいろと話を聞いてみると、新聞報道とはだいぶ状況が違っているようである。どうやら、熱心な先生と、手のつけられない腐ったようなワル中学生という図式のようだ。

「生埋め」という言葉にも誤解があった。私は、生徒が砂の中に全身埋められたのかと思っていた。だから、さぞかし苦しかっただろうと同情していたのだ。ところが、そうではないらしい。首だけ外に出して、縦に埋められたらしい。よく海水浴場でやっているあれだ。そうか、そうか。だいたい事件の全容は摑《つか》めてきた。

さてそうなると、あとは埋められた二人に会ってみるしかない。とはいっても、学校のガードは固い。どうやって埋められた二人と接触しよかいな……と、私は思案を巡《めぐ》らした。まあ、下校時間まで待って、生徒に聞いてみるのがよかろう。調子のよさそうな生徒を捕《つか》まえて、小遣いでも握らせれば、二人の身元なんぞ一発で摑めるはずである。学校が箝口令《かんこうれい》を敷《し》いたところで、お調子者はどこにでもいるのである。

だが、その名案は、地元紙の記者に話を聞いた時点で、あっさりやめにした。二人に直接インタビューしたその記者によると、二人はもうどーしよーもないワルだというのだ。子が子なら母親も母親らしく、髪を染めてギャーギャーわめくだけで手がつけられないという。

これはイカン。こんなヤツらと組んで写真を撮ったら、あとで絶対トラブルが湧《わ》いてくるに決まっている。戦乱のサラエボやカンボジアに行った私でも、こういうヤツらだけはご免《めん》こうむりたい。状況の不利を覚《さと》るや転進するは名将の条件である。

よし、発想を変えよう。私のスルドイ頭脳は、すぐに解決策を導き出した。

代わりの人間でやろう。そいつを埋めて写真を撮るのだ。

中洲《なかす》ワルガキ・ハンティング

私は、中洲《なかす》にとって返した。何のために？　もちろん見るからにワルという人間を探すためである。ご存じのように、中洲といったら九州一の繁華街である。若くて人相の悪いヤツなんて、束にして売るほどいるにちがいない。何という合理的な発想であろう。

ところが、そんなヤツは一人も歩いていないではないか。チャラチャラとカッコいいニイチャンやネェチャンばかりである。ふだんは頼みもせんのにいくらでも出没するくせに、用があるときには出てこないのである。時間も悪かった。まだ真っ昼間だったのである。

「フーム、困った」

ふだん不良と付合いのない私である。いったいどこへ行けばそういうワルはいるのだろう。

「ワルおらんか？　ワル」

道行く人に聞きながら、辿《たど》り着いたのは、とあるライブハウスであった。幸《さいわ》いなことに、その日はライブのある日である。店の前を物色《ぶっしょく》する。

いた。今度こそいた。

開演前の店の前で、だるそうにウンコ座《すわ》りしている若いヤツがいた。ところが、近寄ってよく見ると、どうもイメージが合わない。今一つすごみがないのだ。おとなしそうなヤツだった。しょうがないので、そいつに聞いてみる。

「このへんで、人相の悪いヤツいてない？」

われながら、正攻法の取材である。

「そげなこと言われても、どんな人を捜しとるね？」

「こう、一目見て『あっ！　こんな人とは関わりたくないわ』という感じの若いヤツよ」

「そんなこつなら、公園ば行ってみるとよか」

話のわかる親切なヤツである。言われたとおり、ちょっと離れた公園に行ってみた。ビルの谷間にあるせいか、なんだか薄暗いところである。場所からして、期待が持てそうだ。

公園に一歩足を踏み入れるや、私は思わず「おおおー」となってしまった。

「おる、おる、おる。そこらじゅうに、危ないヤツらがおる。人相の悪いヤツがよりどりみどりや」

苦労した甲斐があったというものである。これなら、なんとかなりそうだ。

しかし、喜んでばかりもいられない。早速、交渉に入らなくてはならない。カッコからしてまともでないヤツばかりである。私のような良識ある一般人が、はたしてまともに交渉できるのであろうか。不安ではあった。

が、これが仕事である。やらにゃなるまい。ここは、法治国家の日本だ。ブカレスト、カンボジアと死線をくぐった私がビビッてどうする。都会の真ん中で、真っ昼間に命を取られることはないだろう。

私は、なかでも特に人相の悪そうなヤツを物色した。近くにいた四、五人のグループがなかなかいいセンをいっている。私は、つかつかと近づいていった。

おおー、近くで見れば見るほど怖い。こちらのイメージにぴったりではないか。

最終兵器の威力

「ちょっと、ニィチャン！」

「なにね？」

「いやいや、私はこういう者やけど」

と、名刺を差し出す。

「東京の週刊誌の人が何の用ね？」

とっさに私のシブい頭脳は、効果的な言葉を見つけた。

「いやあ、ニィチャンら、モデルにならへんか？」

相手は、キツネにつままれたような顔をしている。当たり前である。

「なんば、からかいよるとね」

「いやいや本気よ」

　私は、例の中学の事件について説明した。

「その事件とボクらと何の関係があるとね？」

「なーんもないよ。ただ、その事件を再現したいんや。ニィチャンたちが、私のイメージにぴったりなんよ」

　しばらく間があった。

「ふーん、どうやら本当らしいとね。どうすると？」

　若者たちは、ひそひそ相談を始めた。横の女の子が「よかたい、やればよか」と囃《はや》し立てる。

　よし、ここでもう一押しとばかり、私は最終兵器を投入することにした。サイフから一万円を取り出し、リーダーらしき、いちばん人相の悪いヤツに握らせた。

「こっちの希望はアンタとアンタの二人だけ。いま一万、撮影が終わったら、もう五〇〇〇円！　うちから海岸まではハイヤーを差し回そうやないか。どないや？」

「おおう、いつやるね？」

　最終兵器の威力は素晴らしかった。敵はもうやる気満々であった。

「モデルやっただけで、二人で一万五〇〇〇円ももらえるとね。スゴかー」

とはしゃいでいる。悲しいほど、見た目どおりの連中である。

私の脳裏にドケチの西川デスクが、二人合わせて一万五〇〇〇円であがったと知って狂喜するさまが浮かんだ。

一八歳以下だとマズいので、ぬかりなく免許証で確認した。職業は、二人とも「路上アクセサリー販売業」だとか。早い話が、道端で金細工や銀細工を売っているヘンなお兄さんだったのである。住所を聞いて、ハイヤーを差し回す時間と場所を約束させた。

彼らと別れてから、一抹《いちまつ》の不安が心をよぎった。

「あいつら、一万円をネコババして、逃げてしまわんやろか」

いいかげんそうに見えたので、その可能性もないではなかった。しかし、よく考えてみると、それほどの貧乏人なら、もう五〇〇〇円欲しさにきっと来るはずである。

次の日は、朝も早からスコップを担いで海岸へ向かった。あの若者たちが来る前に、埋《う》める穴を掘っておかなければならないのだ。

朝九時ころになると、モンモン（刺青《いれずみ》）をしょった地元のヤーさんが、ホステスを連れて水遊びにやってくる。ギャーギャー言って遊んでいるのを横目で見ながら、私は穴を掘りはじめる。

砂浜はもううだるような暑さになっていた。こんなところで、背広を着込んで、スコップで穴を掘っているなんて、どう考えても普通ではない。なるべく人目につかないところを選んで掘ることにした。

それにしても、人を埋める穴を掘るのが、これほど大変な作業だとは思わなかった。首から下を埋めるだけでも、そうとう深く掘らなければならない。汗がダラダラと流れる。何事もスルドく学習する私は、人を殺して埋めるということが、相当な重労働であるとわかった。人を殺すときにはよく考えることにしよう。

しかも、今回は二人分である。おまけに、下が砂ときてる。掘っても掘っても、きりがない。賽《さい》の川原で石を積んでいる子どもかくやと思われるほどだった。

ところが、ここで私は肝心なことを忘れていた。

かなり掘りすすんで一息ついたときのことである。ふと目を上げると、海水が穴のそばまで来ているではないか。満ち潮である。私の氷の頭脳も、地球の摂理《せつり》までは計算していなかったのだ。

私は、呆然《ぼうぜん》としながら、苦労の結晶が波に洗われ、崩《くず》れていくさまを見るよりほかなかった。

それでも、気を取り直して、なんとか二つの穴を掘ることができた。完成したときには、もう太陽が高く昇っていた。海水浴場の片隅に掘られた二つの穴を前にして、私はしばし感涙にむせんだ。ふと気がつくと、あちこちで、水着のカップルやら家族連れやらが楽しそうにはしゃいでいる。

私はこんなクソ暑いところで何をやっているのであろうか。

しかし、いつまでも情けながっているわけにはいかない。そろそろ若者たちの来る時間である。私は、約束した海の家まで歩いていった。

女連れで埋まりにくる

予定の時間を過ぎて、それらしき車が見えてきた。

「おお、やっぱり来たか。このワル！」

ニコニコして迎えたのだが、そこでビックリ。なんと、ハイヤーに乗っているのは四人だ。

「こりゃどういうわけだ。あと二人は……？」

と、よく見ると、あとの二人は女である。なんと、ヤツらは女連れで来たのである。まったくヒマなヤツらである。

驚いたことに、ヤツらはこのクソ暑いのに革のジャンパーを着込んでいる。それも、いたるところにクギが打ちつけてあるシロモノである。

周りは、健康的で家族的な雰囲気の海水浴場である。その中で、われわれだけがまったく異質の存在であった。ここの空間だけが、何か別の次元のようにさえ見えてくる。

私は、早速、彼らを穴に案内した。

予定どおりに彼らを穴に入れ、砂をかけて埋めた。

撮影は無事に終了した。

「ああ、本当に苦しかあ」

これが、彼らの感想である。

とにかく、私は無事に済んでほっとした。海の家に帰ってみんなの労をねぎらう。

まずはビールを注《つ》いで接待である。

「いやァ、ご苦労さまでしたあ」

早速、残金の五〇〇〇円を払って、しっかり領収書も書いてもらう。

それにしても、類《るい》は友を呼ぶ。ワルガキにふさわしい女たちであった。自然界の不思議な摂理に、私は感動さえ覚えた。でも、ワルガキとはいえ、立派に女がくっついている。それに引き換え、この私は女房に逃げられて、すでに二年目に入っているのである。いったい人生とは何だ？　と思わず感慨に更《ふ》ける宮嶋であった。

四人は海の家でさんざん飲み食いをした挙句、帰りもハイヤーで帰っていった。ホッと一息つく。だが、ゆっくりしているわけにはいかない。今日は締切りである。急いで福岡空港に向かった。思い出のスコップは、世話になった海の家に置いてきた。

東京に帰って、写真をプリントして、ちょこちょこと文章をつける。これで、私の仕事は終わりである。まずまず思ったとおりの仕事ができた。

カネボウの広告

さて、翌、月曜日は校了《こうりょう》の日である。私も念のため、編集部に詰《つ》めていた。するとと、編集長席から花田編集長の怒鳴《どな》り声が聞こえてきた。

「おい、西川！　おまえは何考えてんだ！」

何事が起きたかと、西川デスクは編集長席に向かう。どうやら、私の写真のことで揉《も》めているらしい。私も呼び出された。

「おい、宮嶋！　おまえ、この写真、大丈夫やろな？」

西川デスクが聞く。

「大丈夫も何も、昨日、説明したとおりですよ」

花田編集長も「コイツら何者だ」と聞くので、ありのままを答えた。

「オレは知らんぞ」

花田が投げたのである。あの花田紀凱《かずよし》がぶん投げたのである。あらゆる権力を相手にして怯《ひる》まない花田が、責任持てないと言ったのである。私はある種の感慨に浸った。

ともかく、記事は載《の》ることになった。私は、ひと仕事終えたと思っていた。

ところが、これで終わったわけではなかったのである。

しばらくすると、今度は西川デスクがどこからか飛んで来た。

「えらいこっちゃあ！」

「どうしたんですか」

「おまえのページにはカネボウの広告が入る予定やったんや。それが、あのゲラ（校正刷《こうせいず》り）を見てビビッて降りてしもうた。レイアウトのやりなおしや」

そんなにひどかったかなあと、私は腑《ふ》に落ちなかった。だが、ゲラ（原稿）を見たとた

バカは埋めなきゃわからない——埋められるには、それだけの理由がある。「体罰」の一言で思考停止し、騒ぎ立てるだけのマスコミは無責任であろう。（写真はモデル）

ん気が遠くなった。タイトルがそのものズバリ「バカは埋めなきゃわからない」というものだったのである。

「何ですか？　このタイトルは？」

「どや、オモロイやろ、このタイトル」

西川デスクは事もなげに言う。さすがに私は、興奮して西川デスクに詰め寄った。

「あんなタイトルをつけられて、あの二人のワルが怒《いか》りまくったらどうすんですか。今までネコをかぶっていたかもしれないんですよ。そんなことになったら、誰が責任取るんですか」

西川デスクの返事はたった一言、カンタンであった。

「おまえや！」

ああ、このヒトのことをわかったつもりでいた私がバカであった。

「バカは埋めなきゃわからない」と銘打たれたそのページは、不思議なことに、どこからもクレームはつかなかった。

しかし、その翌週、取材のために彼《か》の地を訪れた週刊文春特集班の記者は、それはそれは冷たいあしらいを受けたそうな――。

8

新大久保パンスケ・ストリート

——外国人売春婦の盗撮に、宮嶋スペシャル2号・3号登場

売春婦の確証

世界数十ヵ国の港々に女がいる、この宮嶋である。モスクワの空港に通過《トランジット》で寄れば、数人の女が争って私を出迎える、この宮嶋である。ハンブルグの飾り窓はすべて制覇《せいは》した、この宮嶋である。その私をしても、夜の新大久保ホテル街は聞きしに勝《まさ》るところだった。

道幅はいやに狭《せま》く、車一台がやっと通れるくらいである。そのうえ街灯が少ないので、かなり薄暗い。道の両側には、ラブホテルがこれでもかとばかりに林立している。そのホテルを利用する人も多いのだろう。けっこう人通りは多い。だが、道が暗いために、顔がはっきりとは見えない。暗い通りを、何やらウジャウジャと人が行ったり来たりしているような印象であった。

そして、あちこちに女が立っている。噂どおり、ほとんどが外国人である。どうやら、韓国、台湾、タイ、フィリピン、南米と、通りによって縄張りがあるようだ。しかも、路地ごとに、きわめて人相のよくない男が目を光らせている。街の中央には暴力団事務所があり、ヤーさんが入れ替わり立ち替わりやって来る。

私は、今日は女を買いに来たのではない。撮影にやって来たのである。とはいっても、こんな状態では、いきなりストロボを焚《た》いて逃げるなどという方法を採《と》るわけにはいかない。そんなことをしていては、命がいくつあっても足《た》りないであろう。じっくりと策を巡《めぐ》らして、もう一度、出直すことにした。

きっかけは、またも西川デスクであった。

残暑が続く平成二年の九月。西川デスクが、例によって私のほうへにじり寄ってきた。

「おえっ！　宮嶋、知っとおか？　最近、新大久保はごっついらしいど」

西川デスクは、なにやら一人で興奮していた。なみいる風俗ライターたちが「紀尾井町《きおい》の老人」と崇《あが》める、この業界のドンである。有名な風俗ライターだったカッヤ氏が「あの人には敵《かな》わん」とつぶやくヒトである。その西川デスクが、コーフンしている。

「ごっつうて、何がごっついんですか？」

「いやいや、韓国とか台湾とか、フィリピン、タイ。それに、南米系から金髪まで、立ちんぼが、ずらあーっと客を引いとるらしいど。おまえ、ちょっと行って様子見てこい」

おお、こりゃ、おいしい話かもしれん。残暑でバテ気味の私も一気に勤労意欲が湧《わ》いてきた。

「ということは、調査のため、経費で二、三人、女を買ってきていいですか？」

「アホ！　ホテルの中で撮ったってしゃあないんや。外で撮れるかどうかや。どうしてもやりたかったら、自分のカネで買え」

そう言われても、これは取材である。取材ならば、対象に鋭く肉薄《にくはく》して、抉《えぐ》るように攻撃しなければいい記事はできないではないか。私は、この崇高な信念を貫《つらぬ》こうと、西川デスクに再考を促《うなが》した。

「そんでも、実際買って一発やってみな、売春婦かどうか確証とれませんやろ」

ところが、彼には、私のジャーナリストとしての信念は通用しなかった。

「わしらは警察と違うから、そんな確証いらん。まあ、エイズに気ぃつけるんやな。あ、それから、言い忘れとったけど、地回りのヤクザやチンピラがうろうろしとるらしい。写真撮っとるの見つかっても、ワシは知らんからそのつもりで……」

と、まあこんなやりとりがあって、私は一人でイソイソと新大久保へ出かけたのであった。

三六枚一本勝負

あの新大久保で、どうやったらいい写真が撮れるのか。私は、懸命に知恵を絞《しぼ》った。

道幅が狭いから、車の中からのハリコミは不可能である。長時間駐車するわけにもいかないし、車の中を覗《のぞ》き込まれるかもしれない。しかも、人通りが多くてゴミゴミしているので、ヤーさんなどに見つかったときに、車で逃げるのはむずかしい。というわけで、どう考えても車は使えないという結論に達した。

ならば、歩きながら隠しカメラで撮るか？　しかし、道は薄暗くて、移動しながらの撮影は困難である。たとえ超高感度フィルムを使っても、シャッター・スピードは遅くなる。手持ちではブレてしまうだろう。だからといって、ストロボを焚くわけにもいかない。

残された方法は一つ。赤外線フィルムを使う方法である。ストロボにも赤外ストロボを使う。ただし、市販の赤外ストロボは大きすぎるので、中型のストロボに赤外フィルターを貼《は》って代用することにした。赤外ストロボは、発光しても、うすーい赤い光が小さく見える程度だ。普通の人間なら、まず気づくまい。

ただ、これを一人でやるとなると、どうしても目立ってしまう。そこで思い出したのが、三ヵ月前に「紀子《きこ》さまのパレード」で使った無線システムである。あれを使えば、二人の人間がカメラとストロボを別々に持つことができる。そうすれば、見つかるリスクも半減するだろう。

アンテナはお互いのシャツの下に隠し、二人で並んで歩きながら獲物を探す。見つけたら通り過ぎるふりをして、私がカメラの入った紙袋、もう一人がストロボの入った紙袋を向ける。そして、私がシャッターを切り、二人とも知らんぷりで通り過ぎる。このような、じつにシブい作戦であった。私はこのシステムを「宮嶋スペシャル2号」と名づけた。前の失敗（紀子さまのパレード）に懲《こ》りていないのかなどと言うヤカラは、大久保のポンビキに殴《なぐ》り殺されるであろう。

問題点は、途中でフィルム交換ができないということだ。赤外フィルムは完全な暗室以外では交換できないのである。三六枚一本勝負である。

そうと決まれば、相棒探しである。「紀子さまのパレード」で手伝ってもらった甘利《あまり》さんに聞いてみると、甘利さんはやっぱりヒマだった。

ただし、条件が二つ提示された。一つは、私がバクチの負け分一二万円ほどを、速《すみ》やかに甘利さんに払うこと。もう一つは、新大久保の何とかいう有名な寿司屋で、寿司をおごることであった。相変わらず、ヌケ目ない人である。まあ、しょうがない、私はその条件を呑《の》むことにした。

待望の金髪

いよいよ当日が来た。

甘利さんが教えてくれた寿司屋は、ネタが大きく、しかも安くてうまいという三拍子揃《そろ》った店であった。私たち二人は、しこたま寿司を食《く》ったのちにホテル街へと向かった。まだ時間が早かったので、途中の道で練習をすることにした。初めは、なかなかうまく同調しなかったが、練習するうちにうまくいくようになった。

「よーし、出発！」

甘利さんと私は、ＯＫ牧場に向かうワイアットアープのごとく、肩をいからせて狭い道を進んでいった。目差すは、無国籍の、汚《きたな》い、腐った、狭い路地である。

ところが、まだ時間が早かったせいか、獲物がなかなか見つからない。あっちの路地、こっちの路地と、私たちは女を求めて歩き回った。とはいえ、同じ道を何度も通るのは危険である。女にも地回りのヤーさんにも顔を覚えられてしまう。そこで、同じ道は二度までで、そして街にいる時間は九〇分と決めた。

と、タイ人らしい女を路地の向こうに見つけた。私は甘利さんに目で合図をした。二人並んで、獲物に近づいていく。甘利さんは、ストロボ入りの紙袋をタイ女に向ける。私も、カメラの入った紙袋を向けて、ソォーッとケーブル・レリーズを押した。ほとんど音はしなかった。完璧である。すれちがいざまに、横目で女を見たが、どうやら気づかれなかったようだ。私たちは、冷静を装《よそお》って通り過ぎた。

電柱の陰で、こちらを窺《うかが》う地回りがいる。見つかったら、何をされるかわからない。ヘタをしたら、コンクリート詰めで東京湾に沈められたなんてことになる可能性だってある。私はビビッた。しかし、ビビりながらも、フィリピン女、台湾女と、次々に仕留《しと》めていった。そんな緊張状態が一時間も続いたので、さすがに二人とも疲れてきた。

「甘利さん、もうちょいですから、頑張りましょ」

疲れの見えた甘利さんを励ますつもりで言ったのだが、余計な心配だったようだ。

「ふむ、終わったらまた寿司食おうぜ」

「ええっ？　まだ食うんですか？」

「いいじゃねぇか、どうせ会社が払うんだろ」

呆《あき》れた人である。どこまで食い意地が張っていることやら……。

などと嘆《なげ》いていると、来た来た、来たのである。待望の金髪が。ハンドバッグをぶらぶら、オッパイをゆさゆさ、尻をぷりぷりさせながら、金髪の女がこっちに向かってきたのである。どうやら南米系のようである。コロンビア人だろうか？

明らかに、甘利さんと私をカモにしようとしている。私は勃《た》ちそうになるのを、ぐっとこらえながら歩いた。髪は日本人好みに金髪に染めているのだろうか。足も長くて、いい女である。ニコニコと微笑《ほほえ》んできたので、こっちもニコニコを返した。

私は、甘利さんと目で合図した。二人で紙袋をゆっくり女に向けて、ソォーッとシャッターを押した。カスッとも音は聞こえなかったはずである。

私は、撮ったよと甘利さんに合図した。それに応《こた》えて、甘利さんも紙袋を下ろそうとしたときである。ふと女のほうを見ると、さっきのニコニコ顔が消えて何かおかしい。不審そうな顔つきで、こちらに早足で向かってくる。そして、私の横を通り過ぎて、甘利さんのほうに向かっていくではないか。女は甘利さんの前で止まると、首をひねり、眉《まゆ》をしかめながら、ストロボの入った紙袋をジーッと見つめている。

（ヤ、ヤバイ！）

甘利さんは、何が何だかわからないという顔をして、ボーッとつっ立っている。

（甘利さん、見つかっとんのや。早《はよ》う逃げ。早う逃げ）

私は、声を出さずに、口と目と鼻を懸命に動かして知らせようとした。すると、さすがの甘利さんもやっと気づいたのか、体をかわして逃げてきた。

女も、写真を撮られていたとまでは思っていなかったのだろう。追いかけてくることもなく、ポカンと立っているだけだった。

しかし、かすかな赤い光が見つかるもんなんか？　ほんとに甘利さんはドンクサイ。わが先輩ながら、情けなくなる。

腰を抜かす

私たちは、近くの公園に駆《か》け込み、ほとぼりが冷《さ》めるまでじっとしていることにした。

この公園は、台湾通りとコロンビア通りに挟《はさ》まれた場所にあり、ヤクザの事務所がすぐ脇にある。

茂みの陰にベンチがあったので、二人してまるでホモのように腰掛けた。

「ハァ、ハァ、ハァ。危なかったですなあ。ハァ、ハァ、ところで、どないします？」

息を切らし、肩を揺すりながら、私は甘利さんに話しかけた。

「どないもこないもない。もうずらかるんだよ。ハァ、ハァ。何カット撮った？」

「二〇カット近くですけど」

「何カット使えそう？」

「三、四カットは大丈夫だと思いますけど」

小声でコソコソこんな話をしていると、甘利さんの顔色が急に変わった。まるで幽霊でも見つけたように、無言で前を指さす。ギョッとして私も正面を見た。すると、黒っぽい服装をした怪《あや》しげな男が一人、ブランコに乗りながらこっちを見ているではないか。暗がりなので人相はよくはわからない。けれども、こんなところで一人でいること自体、不審である。私たちと目が合っても、やはりジーッとこちらを見つめている。

「しまった、地回りのチンピラにあとをつけられたか。まずい。ヘタしたら、生きてこの町から出られへんど」

逃げるなら今のうちだ。二人で別の方向に逃げれば、一人は助かる。そうすれば、ドンクサイ甘利さんのほうが捕《つか》まって、私が逃げられるにちがいない。それともひたすら謝るほうがいいのだろうか。私の心は千々《ちぢ》に乱れた。すると、男は矢庭《やにわ》に立ち上がり、口を開いた。

「甘利！　宮嶋！」

これにはビビッた。二人とも腰を抜かして「あわわわわ……」と言うだけである。男は、さらに言葉を続けた。

「ワシや、ワシやがな」

薄明かりの下でよく見ると、その男は、なんと西川デスクなのであった。

緊張が一気に解け、私たちはへなへなと倒れ込んでしまった。

「なにもそんなところで、いきなり名前を呼ぶことないでしょう。心臓が止まりそうになりましたよ。いったいデスクがこんなところで何してますのや。女でも買いに来たのでっか?」

「ちゃう。おまえらがちゃーんと仕事しとるかどうか、ちょいと見に来たんや」

信じられないほど、ヒマな人である。いかにドケチとはいえ、天下の週刊文春のグラビア・デスクである彼の下では一〇人の社員、二〇人のフリーが働いているのである。それを放っておいてこんなところに来るであろうか。

「そんな余計なことせんでも、ちゃんと仕事してますよ。それに、いきなり声をかけることもないでしょうが」

「いやいや……、それで、どないだ?」

「どないもこないもおまへんで。つい今しがた、バレそうになって逃げてきたとこですがな」

次々と起きる恐ろしい出来事に、私の心臓は、まだドキドキしたままである。ところが、そんな私に、西川デスクは冷たく言い放った。

「ほな、もうひと頑張りやな」

「何言うてますのや。そないなことしたら、三人ともこの町から生きて帰れませんよ」

そのような言葉が通じる人ではないことを、知るべきであった。

「ワシは先に帰るわ」

一言そう残して、西川デスクはさっさと歩み去った。どう考えてもまっすぐ帰るわけがない。どうせ、そのへんでパッキンと一発カマすのであろう。

しょうがない。われわれはもうひと仕事だけしていくことにした。

それもなんとか無事に終わり、甘利先輩にまた寿司屋でおごらされたあと、深夜になってようやく編集部に辿《たど》り着くことができた。

デスクの命令は絶対である

赤外フィルムは現像がややこしかったが、無事にプリントまで仕上げた。タイも台湾も、まあ予定どおり。金髪のコロンビア女はバッチシだ。西川デスクにホイホイと写真を持っていく。

「どないです？　けっこうシブイでしょ！」

私は、撮影の苦労を思い出しながら得意になって言った。ところが西川デスクは、ふーむと腕を組んで写真を眺《なが》めたままである。

「ウーム、どうも、ワシのイメージとちゃう」

「イメージとちゃうと言われましても、これが現実ですよ。どうしようもおまへんで」

「ウーム、やっぱり赤外線は好《す》かん」

なんということであろう。この宮嶋が命を懸けたショットが「好かん」のヒトコトで片づけられたのである。

「そんなこと初めから言うてくださいよ」

「やっぱり超高感度フィルム使え」

私は耳を疑った。

「えっ？　も一回やるの？」

「そや。も一回や。やり方考え！」

ガーンである。せっかくむずかしい仕事を終えて、ほっとしたと思ったら、これである。しかし、今さら嘆《なげ》いてもはじまらない。西川デスクは、そういう人なのであった。

一兵卒の私としては、デスクの命令は絶対である。言われたとおりにやるしかなかった。

宮嶋スペシャル3号

しかし、超高感度フォルムを使えといっても限界がある。前述のとおり、新大久保の通り自体が暗い。カバンに隠しカメラを仕込んだとしても、長時間露光ではブレてしまうのが定説だ。

「フーム」

しばらくのたうちまわって考えた。しかし、そこは天才であった。高速回転する私の頭脳はまた次の〝シブ〜い作戦〟を思いついたのである。

自転車である。自転車なら、自動車やオートバイと違って、一方通行も無視できるし、方向転換もできる。いざとなったら、すぐに逃げられる。

とはいえ、いくら自転車を使うからといって、構えて写真を撮るのは危険きわまりない。そこでカゴを使うのだ。自転車の前に付いているカゴの中に、カメラを隠すのである。そして、写したいものがあったら、自転車のハンドルをそれに向けて撮る。これなら、まず大丈夫であろう。

そうと決まったら、まず自転車探しである。カツヤ氏が、古いやつを一台持っているというので、早稲田鶴巻町《わせだつるまき》のマンションまで取りに行った。そして、近所の自転車屋に行き、カゴを付けてもらった。さらに、電池式のライトも付けた。写真用の光源として、ほんの気休め程度にはなるだろう。

カメラは、キャノンのF1。それにアクション・ファインダーを取り付ける。これは、上からファインダーが覗《のぞ》けるようにするための用具である。レンズは、三五ミリF2を開放で使用。レリーズは電磁レリーズを引き、ブレーキの横にそのスイッチを付けた。

キャノンF1はシャッター音が大きいので、ウレタンで厳重に防音をした。また、カモフラージュとして黒いゴミ袋を被《かぶ》せた。完璧であった。これなら、勘づかれることはないだろう。「宮嶋スペシャル3号」誕生の瞬間であった。

私は、早速「宮嶋スペシャル3号」に乗って、颯爽《さつそう》と夕暮れの新大久保に出かけることにした。撮影は、じつに快調であった。前の日に、あんな恐ろしいことがあったことな

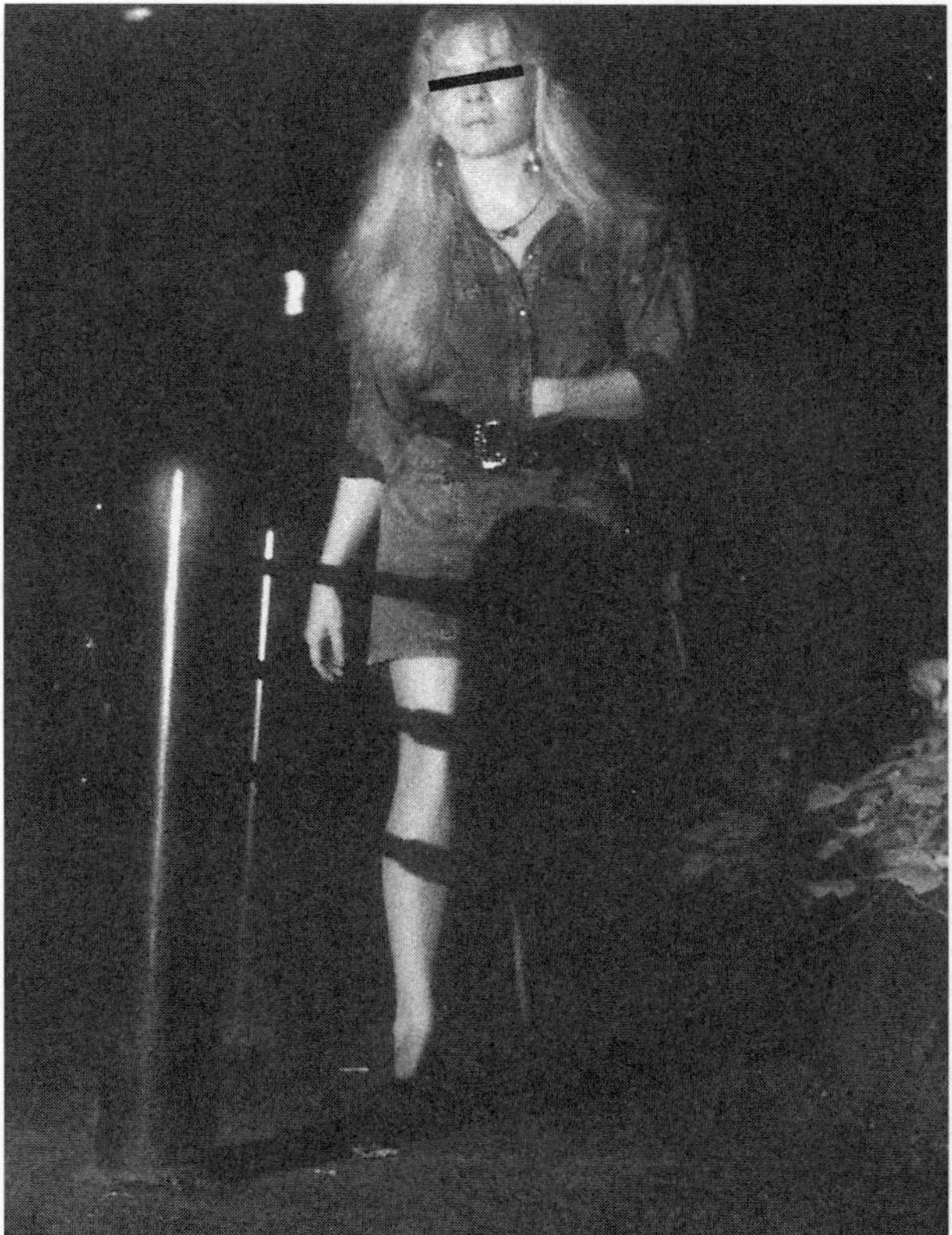

紀子さま御成婚パレードでの失敗を活かし、「宮嶋スペシャル２号、３号」を開発。新大久保の外国人売春婦撮影に成功！

ど、信じられないくらいである。たいしたトラブルもなく、その日の撮影は終了した。現像して西川デスクに見せたところ、今度は「ふむ、ほぼイメージどおり」と納得のご様子。命懸けの「新大久保パンスケ・ストリート」の取材も、これで無事に終わったのであった。

この話には後日談がある。数枚の写真が週刊文春に掲載されて、しばらく経ったころのことだ。編集部にいた私宛に、ある女性から電話があった。それによると、そのうちの一枚に写っている女連れの男性が、自分の夫と似ていると言うのだ。そこで、撮影日時と場所を教えてほしいというのである。

私は、他人のこういうトラブルが、はっきり言って大好きである。その顚末《てんまつ》を想像しただけでも楽しい。心優しい私は早速、データを調べて、その女性に教えてあげた。なんという広き心、なんという慈悲《じひ》……。私の聖人としての伝説に、また一ページが加わったのであった。

9

機雷に触《ふ》れたらサヨウナラ

——湾岸戦争でクウェート一番乗りを目差した宮嶋の根性

参議院議員アントニオ猪木《いのき》

ここ一〇年の最も「本格的」な戦争といえば、湾岸戦争であろう。むろん、この宮嶋がその現場にいたわけはない。平成二年八月二日、イラク軍クウェート侵攻——その瞬間から私のアブラ虫……、もとい、アラブ相手の死闘が始まったのである。

その当日、私は、ノー天気にも松坂慶子の結婚記者会見に出ていた。まだまだバブル景気の余韻《よいん》が続き、日本は天下泰平であった。そこに、突如として、イラク軍がクウェートへ侵攻したというニュースが伝わってきたのである。

「なんや、また中東で戦争か？　トイレット・ペーパーでも買いだめしておくか」

このニュースを聞いた当初は、大半の日本人がそう思ったであろう。ところが、いつのまにかとんでもないことになってきた。

サダム・フセインが、外国人を拉致《らち》して人質にするという前代未聞の卑劣《ひれつ》な手に出たのである。人質の中には、日本人も含まれていた。サダムは、彼らをバグダッドまで連れて行き、監禁してしまったのである。外国の攻撃に対する人間の盾というわけだ。

挙句の果てに、イスラエルにスカッド・ミサイルはブチ込むわ、クウェートの油田に火を放つわと、めちゃくちゃのし放題であった。

戦争とか動乱という血なまぐさい言葉を聞くと、ワクワクしてくるのがわれらフリー・カメラマンという人種である。何とかしてイラクに行きたい、スクープをモノにしたい、そういう気持ちがムクムクと湧《わ》いてきた。しかし、イラクのビザはまったく取れる見込みがなかった。

ところが何を思ったか、わが日本のアントニオ猪木《いのき》参議院議員が、バグダッドでスポーツの祭典を開催しようと言いはじめた。要は、そのドサクサにまぎれて交渉もやって、あわよくば日本人の人質を解放させ、名を売ろうというセコイ、もといキワドイ作戦であった。

渡りに船である。この訪問団に参加すれば、ビザの心配なくイラクに行ける。私は、早速、西川デスクにその情報をもたらした。

「ホンマか？　そりゃええ！　行けェ！」

即座にGOサインが出た。スポーツ祭典の開催は、十二月初めの予定である。うまい具合に、多国籍軍との交渉リミットも迫《せま》っている。あわよくば、彼《か》の地で開戦を見ることができるかもしれない。私はほくそ笑《え》んだ。

そんなわけで、私は猪木事務所にパスポートを持ち込み、難《なん》なくビザを手に入れることができたのである。

猪木は、バグダッドまでの往復に、トルコ航空の飛行機をチャーターした。人質の家族のためという名目である。ところが、空港に行ってみると、猪木便乗のマスコミ関係者多数に、マサ斎藤、長州力《ちょうしゅうりき》といったプロレス関係者、河内音頭《かわちおんど》の河内屋菊水丸《きくすいまる》、歌手のジョニー大倉、さらには、のちに皇民党事件の中心人物となる稲本《いなもと》総裁（当時。故人）やら、有象無象《うぞうむぞう》の連中やらで乗り場はごったがえしていた。おまけにわけのわからんシロート・スポーツ青年たちもいた。あとでわかったことだが、こいつらは単なる普通のアメリカ人であった。しかも、誰が連れてきたのかさっぱりわからんのである。

こんな得体《えたい》の知れない団体が、バンコク、ドバイ、アンマンを経由して、バグダッドに向かっていった。チャーター便ということもあって、機内は異様な盛上がりを見せ、機内放送で即席のど自慢大会まで開かれた。しまいには、機長まで歌を歌い出す始末であった。

じつは、このときの費用が佐川急便から出たということが、だいぶあとになって発覚した。もっとも、人質の家族の旅費はタダであったが、私らマスコミ関係者は一律七八万円取られている。余ったカネが猪木のポケットに入っていたとわかったのは、佐川事件の後であった。

バグダッドでは、アジズ外相とフセインの息子に会った。残念ながら、サダム・フセインの顔は拝《おが》むことができなかった。

スポーツの祭典とやらが始まる直前のことである。いったい、どこに隠していたのか、日本人の人質がプロレス会場に連れてこられた。人質とその家族が涙の対面ということになったのだが、このときのイラクのやつらの言うことがふるっていた。「フセイン大統領のご慈悲《じひ》で再会できた」などと、やたら恩着せがましい。だが、これは本末転倒もはなはだしい。そもそも、人質にとるという行為自体が卑劣きわまりないのである。

それにしても、まさか、バグダッドでプロレスを見るとは思いもよらなかった。そもそも私は、プロレスなるものを見たのは、このときが初めてである。ましてや、人質の皆様にいたっては、まずプロレスには縁もゆかりもない人たちばかりだろう。なにしろ、ほとんどの人が、商社マンである。その奥様方だって、有名大卒にちがいない。どう考えても、これがプロレス初体験であろう。そんなエリートの皆様が、ここバグダッドの地で、プロレスに涙している。なんともシュールな世界であった。結局、私は開戦をこの目で見ることもなく、日本に帰ってくることになった。これが、第一回目の湾岸行の顛末《てんまつ》である。

ところで、人質はといえば、まもなく国籍に関係なく全人質が解放されることになった。猪木の奮闘もあまり関係がなかったようだ。何やら大マヌケの猪木であった。

日本のピーター・アーネット

平成三年の正月は、珍《めずら》しく日本で迎えた。

相変わらずイラク情勢は一触即発であった。テレビでは、駐日イラク大使のアル・ラシクが好き勝手に吠《ほ》えまくっている。こんな状態であったから、再びビザをもらえる望みはない。

私たちカメラマンは悶々《もんもん》として過ごした。

「湾岸行きたいよう。行きたいよう……」

しかし、西川デスクは相手にしてくれなかった。

「なんや、湾岸だと。ええ年して。ディズニーランド行きたけりゃ行ってこい」

ただただ、もどかしい日ばかりが続いていった。

そして、一月十七日。ついに多国籍軍の空爆が始まったのである。テレビでは、爆撃と

横断歩道を渡ろうとしているわけではない。フセインを尊敬しているわけではない。叱られるかどうか、取材しているのである。

対空砲火の映像が繰り返し流された。まるで花火のような美しい光景である。現地からレポートを伝えたのは、CNNのピーター・アーネットだ。ピーター・アーネットはこのときの報道で一躍名をあげ、二まわりも下の金髪の女と結婚した。うらやましいことである。

そして私も日本のピーター・アーネットとなるべく、これでもかこれでもかと西川デスクに企画書を持ち込んだ。あまりしつこく行こ行こと言うので「うるさいなあ。もうちょっと待っとれ」と叱《しか》られた。

不肖《ふしょう》・宮嶋、叱られておめおめと退《ひ》き下がっていては、家名に傷がつく。私のスルドイ頭脳はフル回転し、こーゆー悪知恵に関しては並ぶ者のない「国際風俗ジャーナリスト」カツヤ氏と知恵を絞《しぼ》った挙句、ついに恐るべき作戦を考案したのである。

たしかに、クウェートはイラク軍に占領されている。けれども、そんな暴挙を承認した政府は、世界中でもPLOやリビアなどのごく少数だ。もちろん、日本もそんなことは認めてはいない。したがって、日本のクウェート大使館はちゃんとある。業務も平常どおり。大使もいる。それなら、クウェート政府が発給するクウェートの入国ビザを取ってしまえばいいではないか。

しかも、ナゼか現在、亡命クウェート政府はサウジ国内にある。となれば、そこへ行くにはサウジに入らねばならぬ。おっと〜、ごめんよ、ちょっと通してね、と言いつつ前線へと入るのである。このようなシブい作戦を考えついたのは、おそらく世界のマスコミでわれわれだけであろう。私はオノレの頭のスルドサにめくるめく思いであった。

芝《しば》（港区）のクウェート大使館に連絡を取ると、大使も会ってくださるという。早速、カツヤ氏と出かけることにした。クウェートは、東京の一等地に自国だけの大使館を持っている。さすが世界の金持ち国だ。

大使はヒョロッとして、平安貴族の遊び人風であった。「ヒズ・エクセレンシー（殿下）」と呼ばれていたので、間違いなく、クウェートに大量に生息する皇族の一人であろう。

「おおー、よう来た。ビザ？　そうだ。われわれの発給するビザのみが正式のビザだ。なんぼでも出したる」

こう仰《おお》せになって、三ヵ月のビザをすぐにくれた。ただし、イスラエルに入国したら無効になるということは、しっかり但書《ただしが》きされている。

「おえ、どないしたんや？　そのビザ？」

さしもの西川デスクも、これにはびっくりした。

「これでバッチリです。このままサウジアラビアまで行けば、合法的にスンナリ、クウェート入りできまっせ」

「で、どうやって行くんや?」

「そりゃ、行ってみな、わかりまへんで」

「ふーん、ちょっと待っとれ」

待つことしばし、とうとう「GOサイン」が出た。同行者はカツヤ氏。期限は無期限。予算は一人一万ドル(当時で一五〇万円)であった。

じつは、この湾岸行きは、内々には同僚の新玉《しんぎょく》カメラマンが行くことになっていた。それを、私がゴリ押しして奪《うば》い取ってしまったのである。本当に新玉さんには悪いことをした。

カツヤ氏は残した仕事があるというので、一足先に私が出発することになった。カツヤ氏は一〇日後に出国するそうだ。それまでに、二人の書類を各国大使館や情報省に提出して、エジプトのカイロでサウジアラビアからクウェート入りする準備を進めておくということであった。

納税者としての主張

出発までに時間がない。武器はもちろん持っていく。現在の日本の警察官が持っている鉄製の特殊警棒にガスマスクである。世はまさに湾岸戦争一色だった。

それにしてもアホなのは、日本のいわゆる〝進歩的左翼知識人〟である。ここぞとばかりに、日本の湾岸戦争への関与に反対した。石油自給率わずか○・○○一パーセントのわが国で、中東の平和がいかに重要か、わかっているのだろうか。それが一人の狂犬のために危ないというのだ。ゼニだけ渡せばいいと言ったヤツは非国民である。結局、世界からさんざんナメられてしまったではないか。

だいたいフセインなんぞに、愛や言葉が通じるわけがないのだ。それに気がつくのが遅すぎる。人質さえ返ればいいという問題ではない。自衛隊も多国籍軍に参加して、湾岸の平和に積極的に貢献すべきであった。後に、海上自衛隊の掃海艇がペルシア湾に行ったが、あれは少し遅すぎた。

出発前にテレビを見ていると『朝まで生テレビ』で、アエラの編集委員の田岡《たおか》俊次《しゅんじ》氏がサウジアラビアに行くと言っていた。なんで、湾岸戦争反対の朝日が、サウジのビザを取得できたのであろうか？　キッカイ至極である。

そもそも今回の取材の成否のカギは、サウジアラビアのビザを取得できるかどうかにかかっている。それを、田岡は、いともあっさりと取ったのだ。そして、早速行くんだと得意になっている。しかも、テレビで堂々と、ガスマスクを持っていくとほざいているではないか。

しかし、ガスマスクは武器にあたる。武器の輸出入は原則的に禁止である。したがって、ガスマスクを国外に持ち出すことは認められないのである。当然のことながら、通産省がクレームをつけた。

私も、韓国暴動のときに調達したガスマスクを持っていくつもりだった。困ったなあと思っていると、ある新聞の記事が目に入った。それによると、湾岸戦争の取材については、通産省が特例として許可証を発行すると書いてあるではないか。

だいたい、そんなもん知らんふりしてトランクに詰《つ》めておけば、絶対見つかるわけがないのである。でも、根が正直者の私は、おめでたくもノコノコと通産省へ出かけていったのであった。

通産省に行くと、戦略何とか課というところに通された。私は、ガスマスクを持ち出す旨《むね》を話した。すると、驚くことを言うではないか。

「許可が出るまで三日かかります」

寝ぼけたことを言うので、私はプッツンきた。

「アホか、オノレは？　オレは明後日《あさって》出発するんじゃ」

「それでは特例として二日後にしますので、空港に行く前に寄ってください」

「アホか！　成田に行く前のくそ忙しいときに、こんなとこ寄れるか？」

話にならない。こんなところに来るのではなかった。やはり、役人の世界では正直者がバカを見るのである。

「それではそのガスマスクは国外に持ち出せませんよ」

「オレは持ち出すよ」

「それでは逮捕されます」

「アホ！　逮捕できるもんなら、やってみぃ。それが良識ある納税者に対するおまえらの態度か！　ワシが毒ガスで死んだらオノレが責任取るんか。ケッ！」

私は、捨てゼリフを残して通産省をあとにした。エリート官僚は、ふだんから許認可権を盾に威張《いば》り散らしているのだろう。ペコペコするヤツしか相手にしたことがないにちがいない。私の態度がよっぽど頭にきたらしく、文藝春秋の上層部を通じて、チクリを入れてきた。

「宮嶋君。キミ、通産省で失礼なことを言ったのかね？」

「いいえ、とんでもございません。納税者として言うべき主張をしたまでです」

あんな野郎の言うことなど、まともに請け合《う》っているヒマはない。無視を決め込んだ。

すると、通産省からまた電話があったらしい。「今日じゅうに特例中の特例で許可を与えるので、もう一度通産省に来てくれ」ということなので、それならと出かけることにした。

通産省の官僚は、シブシブ許可書をくれた。

「くれぐれも、絶対このガスマスクは持ち帰ってください」

「はい、はい。わかりましたよ」

「ところで、故意にガスマスクを持ち出そうとしたことについて、始末書を書いてください」

なんたるセコさだ。付き合いきれない。

「ふむ、いいですよ。その代わり、ガスマスクを持ち出したヤツ全員から始末書、取ってくださいよ。とくに、アエラの田岡は堂々とテレビで言うてたぞ」

「わかる限りではやります」

「ほしたら、ほかから取った始末書見せてくれ！」

もう、ここまで来たら、こっちも後には退《ひ》けない。

「いいえ、それはできません」

「ほしたら、ほかのマスコミからも始末書を取るというおまえの念書をオレに書け。そしたらオレも始末書、書いたるわ」

当然のことながら、それもできないと言うので、アホクサと無視して帰ってきた。すると、またチクリの電話が入ってきた。ほんとに、どこまでもひつこいヤツや。

結局、始末書は書いた。このころはまだ官僚が威張りくさっていたのである。最近のヤツらのオチブレを見るにつけ、ザマアミロである。

そんなドタバタもあったが、なんとか出発できることになった。


「ロンドン一の女を買いなさい」


出発直前、花田編集長のところへ挨拶に行った。

「花田さん！　いよいよ出発します」

「うん、気をつけてね。ところで、どこから行くの？」

「ハイ！　ロンドン経由でカイロまで、とりあえず行きます」

「じゃあ、明日はロンドンね。これでロンドン一の女を買いなさい」

そう言って（ホントにそう言った）、花田さんは現ナマ一〇万円を手渡してくれた。ああ、なんという気前のよさ。なんという心の広さ。武士は己《おのれ》を知る者のために死すという。あまりのありがたさに、目にうっすらと涙を滲《にじ》ます宮嶋であった。

手柄立てずに帰らりょか――わが愛唱歌の一節を思わず口ずさむ。撮ってくるぞと勇《いさ》ましく、私は社をあとにしたのであった。

ＡＩＵの戦時保険にも無理やり入れられた。あとで聞いたら、死亡時に支払われる保険金は一〇〇〇万円くらいということである。もちろん、生きて帰ったので必要なかったが、帰りのマニラでレンズの盗難に遭《あ》ったので役に立った。それ以外にも、五〇〇〇万円を文春が支払う用意をしていたという。

さらに、万が一のために遺書を書いて西川デスクに渡した。まあ、保険金の分配をめぐって、過去の女に分配率を書いただけの情けない遺書である。もし私が死んで遺書が開けられていたら、死んだあとも恥をかいたであろう。

ガスマスク、大量の機材、そして現金を持って、英国航空に乗った。とりあえずの目的地はロンドンである。ロンドンで一泊したのちに、カイロに向かうことになっていた。例年ならミーハーアーパー女の卒業旅行で、ヨーロッパ便は満杯の時期である。しかし、さすがは戦時中である。機内はガラガラであった。おかげで、格安のバッタ切符であったが、ジャンボ機の五人がけの椅子をひとりで占領できた。出発前の疲れが溜《た》まっていたので、映画も見ずにウォッカを飲んで、寝てばかりいた。

初めてのロンドンは、雪で迎えてくれた。何十年ぶりかの大雪とかで、ヒースロー空港は大混乱である。ロンドン名物の黒塗りのタクシーが捕《つか》まらず、普通のタクシーに乗らざるをえなかった。しかし、それが失敗の始まりであった。

雪のため、道路は大渋滞である。車は遅々として進まない。一時間経っても、ほとんど動かなかった。そんな車内で、私は護身用の特殊警棒を腰に着けた。これが間違いの第二弾であった。

私は、自分の身に不幸が降りかかろうとしているのも知らずに、ぼんやりと外を眺《なが》めていた。すると、高速道路沿いにホテルがあるではないか。〝ノボテル・ホテル〟と書いてある。

「えーい、めんどくさい！　今日はここに泊まったれ」

こう決めたのが、大間違いの仕上げであった。

運ちゃんは親切にもホテルのフロントまで行って、空《あ》き部屋があるかどうか聞いてくれた。私は、この運ちゃんに礼を言ってタクシー代を払った。ここまではよかった。

ところが、ホテルにチェックインをして、いざデポジットの料金を払おうとしたときである。札束の入った財布がないことに気がついた。どうやら、腰に警棒を着けるときに、タクシーのシートに落としたようだ。

しかし、肝心のタクシーはもうどこかへ行ってしまっている。領収書ももらっていないし、車のナンバーも覚えていない。ガーンときた。

幸《さいわ》い、現金は分割して持っているから、当座はなんとかなる。だが、なくした現金は一〇万円近い。フロントとも相談したが、打つ手なしであった。

運ちゃんが正直者なのをかすかに期待したが、結局ムダであった。怒《いか》り狂うと同時に、自分が情けなくなった。

結果的に、ロンドン一の女を買えと言われた一〇万円をなくしたのだ。なんということであろうか。戦場に行く前に、いい女と寝る。これは大昔からの決まり事である。ああ、それなのに、それなのに。大切なカネをなくしてしまった。自腹を切って女を買う気にはなれない。

しかも、なくした財布は、母親から誕生日にもらった三宅一生《みやけいっせい》のヤツである。なんたる因果であろうか。もう、夜の町へ繰り出す元気は失《う》せてしまった。

しょうがないので、ロンドン在住の、口から先に生まれたような山田カメラマンを呼び出して、一緒にメシを食《く》った。雪の日に外国で山田カメラマンと会うと、私を捨ててヤツだけ逃げだした二年前のブカレストの悲劇を思い出す。ますます暗くなってしまった。

翌日は、防弾チョッキを調達しに、ロンドンのミリタリー・ショップを回った。どれもこれも重くて、とても実用になりそうもない。ケブラー製の最新式のヤツは取寄せになるというので、とりあえず注文しておいた。ついでに財布も買った。英ポンドが入る財布は異常に大きくて使いにくかった。

カイロ行きの出発は夜である。私は再びヒースローに向かった。結局、初めてのロンドンには悪い思い出しか残らなかった。だが、そんなロンドンともすぐにお別れ……、のはずであった。

ところが、どっこい、ローマ、ニコシア（キプロスの首都）経由のカイロ行きは遅れるとのことである。窓の外は大雪であった。私は空白のサインボードを眺めながら、ひたすら待つしかなかった。

二時間遅れでアナウンスがあった。「欠航」である。ついてない。本当についてない。この先が思いやられる。おまけにもう夜中の十二時である。

英国航空のカウンターは長蛇の列であった。あちこちで、怒鳴《どな》り声が飛び交《か》い、行列は遅々として進まない。英国航空職員とイライラした乗客同士で摑《つか》み合いが始まり、とうとう警官隊まで出動する騒ぎになった。さすがはサッカーのフーリガンの国である。

私の番になったのは深夜の二時である。バッタ切符を差し出し「カイロまで」と言った。

コンピュータのキーボードを叩《たた》いていた男性職員が「明日七時発フランクフルト経由でいいか？」と聞くので「いいよ」と答えた。

「七時まで空港で待つか、それとも、ホテルで待つか？　ホテルで待つのならこっちで部屋を用意する」

ホテルがいいと答えると、何番だかのバス乗り場へ行けと言う。さすが文明国の手際《てぎわ》である。

着いたホテルは、昨夜のノボテル・ホテルよりずっとよかった。部屋の電話の受話器を上げると、ちゃんと発信音がするではないか。「それ今や」と会社に国際電話をかけてやった。ここなら、宿泊費はもちろん、電話代も航空会社持ちである。西川デスクには、財布をなくしたこと、雪のため飛行機が遅れることを報告した。

ところが、ホテルもアホではなかった。それ以後は、ローカル・コールもかけられなくなった。

カメラがなければただのアホ

二時間ほど仮眠をとっただけで、またヒースローへ逆戻りである。

今度はちゃんと飛んだ。ドイツのフランクフルトに向かう。フランクフルトはもう何十回目かである。機内では「三階のレストランでスパゲティーを食って、ドイツの友人に電話をして」などと考えていた。だが、現実はそうはいかないのである。

飛行機を降りると、ルフトハンザのオネェチャンが、私の名前を書いたボードを持って立っている。「なんや、ワシがミヤジマやが」と言うと「急いで、飛行機が待ってるの」と早足で歩き出す。

「ちょっと待て、二時間の待合わせがあるはずだが」

「それ英国航空の間違い」

「ええっ、メシ食う時間くらいあるだろう」

「ない」

またである。よくよく今回の取材はついてない。しかたなく、オネェチャンのあとについていった。ところが、フランクフルト空港は大きい。世界最大級である。ヨーロッパ線からアフリカ線までヒーヒー言いながら早足で駆《か》けていった。前回ドイツで買った革ジャンが蒸し暑い。

カイロ行きのルフトハンザは、私を乗せるやいなや離陸した。中は満席である。出稼ぎらしい貧乏たれのエジプト人に混じって、私はぐったりと座席にもたれた。カイロまでは一眠りである。

なんと、十数時間のうちに、大雪のロンドンから、砂漠の灼熱のエジプトまでやって来てしまった。私の体は、すでに人間寒暖計と化していた。

ビザの手続きはスムーズにいった。日本を出るときに、エジプトはビザが必要と聞いたが、何のことはない。空港でもしっかりくれる。ピラミッドとスフィンクスだけで、石油もろくすっぽ採《と》れない観光立国である。こういうところは、たいがい空港でビザをくれるものである。

ところが、ここでもまた問題が起こった。待てど暮らせど、私のトランクが出てこないのだ。空港のターンテーブルはいつでも不安だが、今回は特に不安であった。フランクフルト空港では、人間の私ですら、早足で歩いたのである。荷物を積み込む余裕などなかったのではあるまいか。

ロンドンの財布どころではない。トランクには一万ドル相当の現金が入っている。それに、大使館、情報省に提出するカッツヤ氏との二人分の書類。さらに、メシの種のフィルムも入っている。なくなれば、えらいことである。

一時間もすると、私を残して、乗客は誰もいなくなった。

「荷物がない！」

エジプト人のルフトハンザ航空のオネェチャンに向かって叫《さけ》んだ。

「どないしてくれるんや。あの荷物がなかったら、ワシは破滅や。いったいワシの荷物は今どこにあるんや」

カイロ空港の到着ロビーなんぞに、コンピュータ端末などあるわけがない。オネェチャンに聞くだけムダであった。

「わっかりませーん。とりあえずフランクフルトにテレックス打っときますので、わかったら、こっちから電話します。ホテルはどちら?」

「じゃかましい。そんなの決めとらんわ。こっちから電話するから、とっととワシの荷物を探せ!」

ホテルはとりあえずナイル・ヒルトンにした。カメラバッグ一つを下げてタクシーに乗った。ついてない。本当に、ほんと〜についてない。これというのも、すべてロンドンの雪が悪いのである。ロンドンで雪さえ降っていなければ、一〇万円なくすことも、カバンがなくなることもなかったであろう。それどころか、ロンドン一の女が買えたはずなのであった。

一週間カバンが出てこなければ、取材どころではなくなる。本来なら、今日から役所回りで忙しくなるはずであったのに、やることがまったくなくなってしまった。

ホテルの部屋に入ると、しょうがないので、これまでのいきさつを東京にファックスした。すると、翌日カツヤ氏から返事が届いた。そのファックスには、ただ一言「アホ」と書かれていた。カメラマン、カメラがなければただのアホ。

一句ひねっている場合ではないのであった。私にはな～んもすることがないのである。それから三日というもの、私はエジプト観光を楽しむしかなかった。

朝は、ナイル・ヒルトンの納豆《なっとう》、生卵つきの和定食で始まる。九時になると、判で捺《お》したように、ルフトハンザのオフィスに電話を入れて荷物の行方《ゆくえ》を聞く。

「どや、私の荷物は見つかったか？　え？　ナニ？　まだわからん？　ボケ！」

不愉快な気分になったのちに、おもむろにピラミッドを見に行くのである。そして、あちこちを観光したのちに、夕方、再びルフトハンザに電話を入れて一日は終わる。ああ、いったい私は何をしているのであろう？　こうしている間にもピーター・アーネットは、巡航ミサイル・トマホーク降りしきるバグダッドから迫真のレポートを送り、欧米のプレスは前線へと駆けつけているであろう。そんなとき、私はラクダに乗っているのである。カイロまで来て、私は何をやっているのであろう。こんな生活を三日続けた。

カイロで賄賂《わいろ》

そして、四日目。とうとうトランクがカイロに到着したという知らせが入った。私は、とるものもとりあえず空港に向かった。止める税関職員にエジプトポンドの賄賂《わいろ》を握らせて、とっととトランクを運び出した。

次の日から、ようやく大使館まわりである。クウェートのビザは取ってあるから、あとはサウジアラビアのビザが手に入ればいい。サウジにさえ入れれば一挙に最前線である。そもそもビザというのは、その国に近いほど入手しやすいものだ。だが、エジプトのサウジアラビア大使館、クウェート亡命政府情報センターとも、反応は今一つだった。日本大使館にも足を運んで、推薦状を書いてもらった。その他、ありとあらゆる手段を採った。日本のマスコミのカイロ支局の人間とも毎日会って情報収集した。あとはリアクションを待つしかない。

悩んでいるうちに、カツヤ氏がやって来た。とりあえず、二人でカイロ市内を取材して、日本に原稿を送る。サウジアラビアからは、相変わらず何も言ってこなかった。

私とカツヤ氏は極秘会議を持ち、ついに恐るべき作戦を考えた。イスラム教に改宗して、巡礼《じゅんれい》ビザを取るのである。メッカへの巡礼にかこつけてサウジに入国するのだ。だが、よく聞いてみると、それにはエジプト宗教省の行なう宗教試験にパスしなければいけないらしい。何年もかかると聞き、われわれは断念した。入国したころには、文春のカツヤ氏の机はなくなっているであろう。

ピーター・アーネットがバグダッド一番乗りをして迫真のレポートを送っていたころ、宮嶋もクウェート兵を撮った。シブイ写真だが、足止めをくったエジプトでの訓練風景。

信用できない顔

二月二十四日、とうとう地上戦が始まった。もう、カイロなんかでうだうだしている場合ではない。われわれはヨルダンのアンマンに出発した。ちょっとでもクウェートに近づこうという魂胆《こんたん》である。そのあとのことはまったく考えていなかった。

アンマンのインターコンチネンタル・ホテルには、世界中のジャーナリストが集まっていた。誰もが、なんとかクウェートかバグダッドに入ってやろうと企《たくら》んでいる。レストランもバーもテレックス・ルームも、ジャーナリストの情報交換の場と化していた。

そこで、意外な人物に出会った。同僚の水本カメラマンである。彼は、マルコ・ポーロ創刊のために湾岸に来ていた。ずーっとアンマンに潜伏《せんぷく》し、バグダッド入りの工作をしていたという。

彼によると、社会党（当時）の土井たか子がバグダッドに来ているとか。彼はこのチャンスを利用して陸路からのバグダッド入りを計画していた。

「この話に乗らないか？　ヨルダンとイラクの国境まで、車でたったの六時間だ」

フーム、私は考えた。何もなければ丸一日でバグダッドである。が、何もないわけがない。戦争をやっているのである。そして、そこをノービザで突破しようというのである。

常識で考えればムチャなのはすぐわかる道理である。だが、私もカツヤ氏も、もうすっかりキレていた。

しかも、遺書まで残して、はるばるここまでやって来た私である。手柄立てずに帰国するわけにはいかない。

「よし、やろう。だが、とりあえず、バグダッドまで運んでくれる運ちゃんと、明日、偵察のため国境まで行ってみよう」

次の朝、その運ちゃんと会った。私とカツヤ氏はそのオッサンを一目見て、目が点になった。ヒゲ面《づら》の完全に怪《あや》しいヤツなのである。おまけに、フランス語どころか英語もろくにわからない。そのくせ、カネのことだけはしっかり英語で言う。しかも、戦時料金で超割高である。

「ワシらはこんなヤツに命を預けんといかんのか？」

もうカケである。ここまで来たら後には退《ひ》けない。とりあえず、一日かけて国境まで往復することにした。

物騒であった。あまりに物騒であった。カメラを向けられるのは難民キャンプくらいである。あとは超モノモノしい。こんなところを突破したら、一〇〇メートルも走らないうちに蜂の巣であろう。

「いったい、この運ちゃんはどういうルートを計画しているんだ？」

懸命に聞こうとするのだが、言葉が通じないのか、要領を得ない。

「水本はん。あんた、いったい、どういう交渉をしたんや？　こりゃカケ以前の問題や！　こいつはバグダッドがどこにあるのかもわかってないのとちゃうか？　だいたいこの顔が信用できるか？」

ようやくわれわれの頭が少し冷え、この無謀なカケはしばらく待とうということになった。今から考えれば、ほんとうに下見に行っておいよかった。ぶっつけ本番で国境を突破していたら、三人とも完全に死んでいたであろう。


フセインの根性なし！


しょうがない。別の方法を考えなくては……。われわれは必死になって知恵を絞《しぼ》った。

しかし、しかしである。アッというまに地上戦は終わった。地上戦開始から、たったの一〇〇時間だった。

フセインの停戦玉音《ぎょくおん》放送は、アンマンの下町で聞いた。午前十一時ごろであった。人びとが家の軒先《のきさき》に集まってきた。ラジオから聞こえてきたのは、聞き慣れたサダムの声だった。

ヨルダンの国民は、イラクに好意的な人が多い。人びとはイラついていた。写真を撮ろうとしたら、今にも襲《おそ》いかかられそうになった。

放送は一〇分ほどだった。そして、人びとがブックサ言いながら、散りはじめたときである。突如、すさまじい勢いで雨が降りだした。めったに雨が降らないはずの砂漠の町アンマンに、豪雨が襲ってきたのである。私は、突然の雨にびしょ濡《ぬ》れになりながら呆然《ぼうぜん》としていた。「フセインの涙雨か」カツヤ氏がボソリとつぶやいた。私はといえば、何もせんうちに終わったことがまだ信じられなかった。

フセインのアホ、フセインの根性なし、なんであと二、三年ねばれんのじゃ！

日本の評論家連中で、イラク軍は精強ですよと言っていたアホは誰だ。そいつらは、全員職業を替えよ。一ヵ月どころか一週間も保《も》たなかったではないか。

イラク国民が何万人死のうと、ワシの知ったことではない。イスラエルなんか、スカッド・ミサイルでたった一人しか死んでないのに、その間、交通事故で何十人も死んどるぞ。勇《いさ》んで出てきた私の立場はどうなる？

でも、私は、諦《あきら》めるわけにはいかなかった。すでに、日本を離れて一ヵ月、手柄立てずに帰れよか。このまま帰るんだったら、アラブの砂漠の砂になるか、ペルシア湾のサメのエサになったほうがマシである。どのツラさげて一〇万もらった花田さんに会えるというのか。

機雷に触《ふ》れたらサヨウナラ

だが、ここで諦めぬのがわれわれである。われわれは切り札《ふだ》を持っていた。クウェートのビザである。ついにそのビザを使った究極の方法を実行に移すときがやって来たようだ。私はカツヤ氏に持ちかけた。

「ええ方法がおまっせ。このままオマーンに飛ぶんですわ」

「オマン?」

国際風俗ジャーナリストであるところのカツヤ氏は、その発音に別のものを想像したようだったが、私はかまわず話を続けた。

「オマーンですわ。オマーンは中東ビジネスの中心地。ビザはいりません」

「ほう、ほれで?」

「そこで漁船をチャーター。一挙に公海上に出て、そのままクウェート一番乗り！」

なんという快挙であろう。不肖《ふしょう》・宮嶋、解放されたクウェートに一番乗りす。その週の世界中のメディアの表紙は私が飾るであろう。

「アホ！　ペルシア湾は多国籍軍の軍艦が海上封鎖しとるわ」

私の夢想にカツヤ氏が水をさす。

「何言うてますんや。ワシらがクウェートに着くころには元の政権に戻ってますわ。臨検されたときには、日本の旅券とクウェート政府発行の入国ビザが有効でっせ」

「ふーん。たしかにグッドなアイデアや。しかし、機雷はどないする」

機雷については考えていなかった。だが、ここまできたら勢いである。

「小さい木造船でも借りたら、よろしいがな。万が一、触雷しても被害少々」

「ちょっと無茶ちゃうか」

「ナニ言うてますんや。そんなもんやってみなわかりまへんがな」

「わかった。東京の西川デスクに相談してみる」

西川デスクのＯＫさえ出れば、われわれは戦後クウェート一番乗りのジャーナリストとして、一躍世界の脚光を浴《あ》びるにちがいない。ピーター・アーネットくそくらえ。女にもモテモテであったろう。ただし、九九％の確率で海の藻屑《もくず》と消えていたであろう。だが、こうなるともう狂気であった。カツヤ氏は「ヒヒヒヒ」と言いながら、何やら日本へファックスしていた。覗《のぞ》くとそこには「機雷に触《ふ》れたらサヨウナラ」と書いてあった。

西川デスクから電話がかかってきたのはその夜である。ついにGOか。だが、西川氏は慌《あわ》てた声で言った。

「頼むからアホなマネはやめてくれ。誰かあのキチガイども止めろと、編集部はパニックや。な、な、頼むから思いとどまってくれ」

と、いつものフテブテしい西川氏に似合わぬ声である。だが、次に彼が言ったセリフに私は耳を疑った。

「それでやな、そのままやとアンタも帰りづらいやろ。で、ええ企画考えたったぞ。祝・停戦！　湾岸原色美女図鑑・ウルトラスペシャル・ジャーニー！。どないや！　スカッドの焼け跡で美女をパチッ！　戦車の前でパチ！　これはいけるで」

いったいこのヒトは何を考えているのか。

われわれは、心中に割り切れないものを残しながらも、上司の命令に従わざるをえなかった。まあ、命あっての物種である。そう自分に言い聞かせて、新しい取材目標、ヨルダン、エジプト、イスラエルへと突貫《とっかん》していったのであった。

モデル・クラブに売り飛ばす

ところがである。すぐに私は、ボートでペルシア湾を突破したほうがずっと楽だったという現実に直面した。

なにしろ、ここは停戦中なのである。たかがオンナの写真といえど、取材には軍や情報省の許可証がいる。各国のジャーナリストが目の色を変えて、戦争取材のための許可を得ようとしていたときである。もちろん、軍や情報省の担当者も、神経をピリピリさせて応対している。

そんなところに割り込んでいって「すんまへん。あんさんの国のモデルさんとか、女優さんを紹介してくれまへんか？」と切り出すのだ。しかも、そこは、女が顔を隠して歩くようなイスラムの国なのである。

この企画は、当然ながら各国で大ヒンシュクを買った。それでも、騙《だま》し、賺《すか》し、苦労を重ねて写真を撮っていった。まあ、なんとかかんとかノルマを達成することができたのである。さすがに、東京の西川デスクからは、労《ねぎら》いの言葉をいただいた。

「締切りまで一〇日間ある。そこから日本への帰り道、世界中どこでもええ。二、三日、ゆっくり遊んでこい」

ありがたいお言葉であった。日本を発《た》って、はや四〇日。思えば、その間、ろくに休んでいなかった。ありがたい、じつにありがたい。ただし「帰り道のルートのみやぞ。ハワイとかニューヨークとか、オーストラリアはあかんぞ」と釘を刺された。

「カツヤさん、どこに行きましょ。豪勢にヨーロッパで？　パリか？　ドイツあたりで？」

「アホ！　ヨーロッパなんぞ行ってどないする？　マニラじゃ、マニラ」

カツヤ氏は、いささかのタメライもなくこう言い切った。

「しかし、そんなとこじゃ、ゆっくり落ち着けまへんで！」

「アホ！　休暇と言えば〝飲む、打つ、買う〟やろ。おまえならどれや？」

「そりゃ〝買う〟ですがな」

「そやろ」

「せえけど、そんな現地の安い女買うより、金髪はべらせて、プールサイドでっしゃろ」

湾岸原色美女図鑑の一人、オーリー・ガブリエリ嬢（当時20歳）。後日、宮嶋を追って来日したが、自主独立を教えるため、モデル・クラブに売り飛ばした。

「そんなカネ、おまえまだ残っとるのか?」

たしかに、カネはもうなかった。しかも、文春の社員のくせに、カツヤ氏はマニラでタクシー会社を経営しているのであった。こんなヤカラは、やはりクビになって当然であったろう。それだけに、土地カンがあるカツヤ氏とともに私はマニラで豪遊して無事帰国したのであった。

文春のグラビアに載《の》った「祝・停戦! 湾岸原色美女図鑑・ウルトラスペシャル」は、世界中でヒンシュクを買いながらも、べつにスカッドを撃《う》ち込まれることもなかった。

スカッドは飛んでこなかったが、妙なものが飛び込んできた。巻頭を飾ったイスラエルのトップ・モデルである。この宮嶋のあまりのシブさに、私を慕《した》って日本までやって来たのであった。私はこういう場合の定石《じょうせき》どおり、たっぷりかわいがったあとで、モデル・クラブへ売り飛ばしてやった。

一部に宮嶋は彼女に結婚を迫《せま》られ、ユダヤ人になるべく割礼《かつれい》したという説があるが、真っ赤なウソである。申し込まれれば、タダでわが仮性ホーケーを直せると思ったが、残念ながら、そこまで世の中、甘くはなかったのである。

不肖・宮嶋　死んでもカメラを離しません

一〇〇字書評

切り取り線

購買動機（新聞、雑誌名を記入するか、あるいは○をつけてください）

- □ （　　　　　　　　　　　　）の広告を見て
- □ （　　　　　　　　　　　　）の書評を見て
- □ 知人のすすめで
- □ タイトルに惹かれて
- □ カバーがよかったから
- □ 内容が面白そうだから
- □ 好きな作家だから
- □ 好きな分野の本だから

●最近、最も感銘を受けた作品名をお書きください

●あなたのお好きな作家名をお書きください

●その他、ご要望がありましたらお書きください

住所	〒				
氏名		職業		年齢	
新刊情報等のパソコンメール配信を 希望する・しない		Eメール	※携帯には配信できません		

あなたにお願い

この本の感想を、編集部までお寄せいただけたらありがたく存じます。今後の企画の参考にさせていただきます。Eメールでも結構です。

いただいた「一〇〇字書評」は、新聞・雑誌等に紹介させていただくことがあります。その場合はお礼として特製図書カードを差し上げます。

前ページの原稿用紙に書評をお書きの上、切り取り、左記までお送り下さい。宛先の住所は不要です。

なお、ご記入いただいたお名前、ご住所等は、書評紹介の事前了解、謝礼のお届けのためだけに利用し、そのほかの目的のために利用することはありません。

〒一〇一-八七〇一
祥伝社黄金文庫編集長　吉田浩行
☎〇三（三二六五）二〇八四
ohgon@shodensha.co.jp

祥伝社ホームページの「ブックレビュー」からも、書けるようになりました。
http://www.shodensha.co.jp/bookreview/

祥伝社黄金文庫

祥伝社黄金文庫　創刊のことば

「小さくとも輝く知性」――祥伝社黄金文庫はいつの時代にあっても、きらりと光る個性を主張していきます。

真に人間的な価値とは何か、を求めるノン・ブックシリーズの子どもとしてスタートした祥伝社文庫ノンフィクションは、創刊15年を機に、祥伝社黄金文庫として新たな出発をいたします。「豊かで深い知恵と勇気」「大いなる人生の楽しみ」を追求するのが新シリーズの目的です。小さい身なりでも堂々と前進していきます。

黄金文庫をご愛読いただき、ご意見ご希望を編集部までお寄せくださいますよう、お願いいたします。

平成12年(2000年) 2月1日　　祥伝社黄金文庫　編集部

不肖《ふしよう》・宮嶋《みやじま》 死《し》んでもカメラを離《はな》しません

平成12年 2月25日　初版第1刷発行
平成21年11月 5 日　　　第9刷発行

著　者　宮《みや》嶋《じま》茂《しげ》樹《き》
発行者　竹内和芳
発行所　祥《しよう》伝《でん》社《しや》
東京都千代田区神田神保町 3-6-5
九段尚学ビル　〒101-8701
☎03(3265)2081(販売部)
☎03(3265)2084(編集部)
☎03(3265)3622(業務部)
印刷所　堀内印刷
製本所　ナショナル製本

造本には十分注意しておりますが、万一、落丁、乱丁などの不良品がありましたら、「業務部」あてにお送り下さい。送料小社負担にてお取り替えいたします。

ISBN4-396-31207-5 C0195

祥伝社のホームページ・http://www.shodensha.co.jp/

祥伝社黄金文庫

宮嶋茂樹
不肖・宮嶋 空爆されたらサヨウナラ
爆笑問題不精太田光氏絶句！「こんなもん書かれたら漫才師の出る幕はない」…世に戦争のタネは尽きまじ。

宮嶋茂樹
不肖・宮嶋 撮ってくるぞと喧《やかま》しく！
取材はこうしてやるもんじゃ！ 張り込み、潜入、強行突破…不肖・宮嶋、ここまで喋って大丈夫か？

宮嶋茂樹
儂《わし》は舞い降りた アフガン従軍記【上】
不肖・宮嶋、戦場を目指す
「あ、あかんわ…、何人が死んどる、これ」

宮嶋茂樹
儂は舞い上がった アフガン従軍記【下】
不肖・宮嶋、砲撃を受ける
「集中砲火や！アカン！ 目が見えん…」

宮嶋茂樹
サマワのいちばん暑い日
海上自衛隊、堂々の中東二面作戦、迫撃弾と日本人人質事件、これが「自衛隊イラク派遣」の真実である！

樋口 聡
キューバで恋する
キューバに麻薬はないが、麻薬めく何かが旅人に作用するらしい。カリブの楽園の楽しみ方を徹底紹介！